E. GLENN WAGNER

EL CORAZÓN DE UN HOMBRE DE DIOS

Disciplinas prácticas para la vida espiritual de un hombre

Publicado por
Editorial **Unilit**
Miami, Fl. 33172

Primera edición 1998

Originalmente publicado en inglés con el título:
The Heart of a Godly Man por Moody Press
Chicago, Illinois

Traducido al español por: Federico Henze

Producto 495660
ISBN 0-7899-0509-4
Impreso en Colombia
Printed in Colombia

A mi padre,

Elwood W. Wagner,

gracias por enseñarme el camino.

CONTENIDO

RECONOCIMIENTOS

Mientras más años tengo, más entiendo y aprecio en qué manera mi vida y mi ministerio son el resultado de todas las personas que tuve el privilegio de conocer a través de los años. Todo lo que yo puedo ofrecer al Cuerpo de Cristo es debido a su ingerencia en mi vida. Demasiados son los nombres para mencionarlos, pero les estoy eternamente agradecido por su fidelidad.

Hay varios a los que quiero agradecer por haber contribuido en este proyecto. Agradezco a Jim Bell, de Moody Press, no solamente por creer en mí y en el tema de este libro, sino por ayudarme a ordenarlo y por su contribución a la guía de estudio. A mi amigo Robert Wolgemuth le doy las gracias por estar a mi lado en los altibajos de la vida y del ministerio. Y un agradecimiento especial a Bill Butterworth, cuya habilidad de lograr que mis ideas y divagaciones tuvieran un sentido es toda una virtud.

A Susana, mi esposa, a mi hija Haven y a mi hijo Justin... gracias por el privilegio y el gozo de ser esposo y padre. Los quiero, familia.

INTRODUCCIÓN

EL CORAZÓN DE UN HOMBRE DE DIOS

Como pastor y ministro de Los Cumplidores de Promesas, tuve el privilegio estos últimos años de estar rodeado de miles de hombres. Entre los hombres de hoy se está formando un movimiento que hubiese sido improcedente pocos años atrás. Miles de hombres se están reuniendo en estadios y muchos otros lugares. Numerosos ministerios dedicados a orientar a los hombres se están levantando a todo lo ancho y largo de nuestro gran país. Nosotros los hombres nos estamos reuniendo en pequeños grupos en iglesias, restaurantes, hogares y en los comedores de nuestros centros de trabajo.

Durante los encuentros con muchos de estos hombres se repite el mismo tema. No es el tópico de la respuesta negativa o de la reacción a la llamada afeminación del hombre estadounidense. Estamos viendo entre los hombres una genuina hambre por la realidad. Y es la realidad la que proviene de una relación vital con Jesucristo. Esto viene de la comprensión de que " un hombre muy hombre es un hombre de Dios".

Por lo tanto, ya sea en un estadio con capacidad para sesenta mil personas, o en el auditorio de alguna iglesia de trescientas personas, o en un pequeño grupo de hombres que se congregan para cumplir con su responsabilidad y estudio bíblico semanal, hay algunas observaciones que parecen ciertas respecto al hombre actual y a su búsqueda de la realidad.

Es fascinante descubrir que cada persona es una creación única de Dios, con su propia mezcla de rasgos personales, virtudes y talentos. Pero he observado que existe un común denominador entre estos hombres cristianos. Para algunos es una candente pasión que quema profundamente en su interior, anhelando salir al exterior. Para otros es lo contrario, es una cuestión más personal, más privada. Sin embargo, todos compartimos el mismo deseo. ¿Cuál es el lazo que tenemos en común?

Todos nosotros queremos ser *hombres de Dios*... de ir más allá de desempeñar un papel para salir de la mediocridad espiritual.

Algunos lo llaman "crecimiento espiritual", otros se refieren a ello como a la "madurez", mientras que otros lo denominan "semejarse a Cristo". Se manifiesta bajo nombres distintos pero la profunda esperanza en nuestros corazones resuena al unísono. Todos compartimos el deseo, pero desde allí puede ser confuso para algunos de nosotros. ¿Cómo experimento exactamente esta devoción?

La confusión es verdadera y deseo que usted sepa que podría involucrarse con esta clase de confusión. Para dar un ejemplo específico, la Biblia nos dice claramente que la confesión es buena para el alma. Por ello, por más pavor que me da el admitirlo, debo divulgar públicamente algunos de mis defectos personales, bastante embarazoso...

...¡Odio los rompecabezas!

Mi esposa Susana y mi hija Haven, por el contrario, pueden estar horas en la mesa del comedor, buscando esa pequeña pieza que abrirá la puerta a las otras cuatro mil noventa y nueve piezas. Admito que yo nunca he sido capaz de *ver* lo que ellas ven y encontrar las piezas apropiadas. Mientras he tratado de hacer lo mejor posible participando de ello, sabiendo que construiríamos un precioso recuerdo de un momento familiar, no me ha tomado mucho tiempo exasperarme del todo.

Yo me disculpo con toda diplomacia y salgo a jugar baloncesto con mi hijo Justin, el cual comparte mi disgusto por los rompecabezas, o me retiro a otra habitación para participar de una actividad que disfruto... como leer un buen libro. Al menos, con un buen libro una persona puede pasar de una falta de claridad y comprensión a la perspectiva completa. A veces el libro incluye suspenso e intriga y nada más.

Frecuentemente he sentido algo similar cuando se trata del crecimiento y la madurez espiritual. He sentido la misma frustración, como cuando estoy ante una gran mesa con un gigantesco rompecabezas. Otros parecen estar felices respecto al descubrimiento que hacen cuando encuentran las piezas correctas, mientras que yo lucho por encontrar la escondida pieza angular que me dará esperanzas.

O pueda que sea el sentirme como la del doctor Watson, el renombrado compañero de Sherlock Holmes. Siempre parece que el gran detective pone todas las piezas del rompecabezas en su lugar mientras que nosotros somos los últimos en entenderlo, aun cuando hemos estado con Sherlock en cada paso del camino. De hecho, es enfermizo leer "¡elemental, mi querido Watson!"

Yo creo que la vida de un cristiano no ha sido destinada a ser tan frustrante como un rompecabezas o tan compleja que mi destino sea vivir a la sombra de los que resuelven los grandes problemas espirituales. Esto no es negarlo: siempre existirán esas cosas que no comprendemos completamente (después de todo, hemos sido llamados para caminar en fe). Pero creo que Dios tiene la intención que el más joven de los cristianos sea capaz de crecer y madurar espiritualmente. De hecho, me atrevería a decir que es posible que un niño pequeño pueda madurar en las cosas de Cristo.

Como puede verse, Dios proveyó los medios para el crecimiento espiritual. No es un misterio irresoluble o un gran rompecabezas. Poseemos todo lo que necesitamos para experimentar la maravilla y el gozo de una creciente y dinámica relación con Jesucristo. Usted puede volver su mirada para comprobar cuán lejos ha ido en su crecimiento en las cosas del Señor. Podemos resolver el misterio y completar el rompecabezas porque, contrariamente a los rompecabezas de nuestra mesa del comedor, ¡poseemos *todas las piezas* necesarias!

EL CORAZÓN DE UN HOMBRE DE DIOS: LO QUE NO ES

Antes que vayamos demasiado lejos hablando de lo que realmente significa conocer a Cristo, sería sabio destacar algunos de los conceptos erróneos más comunes. Habiendo crecido en una iglesia del noreste, estaba en condiciones de observar a docenas de hombres de Dios bien intencionados que sin querer me llevaron por un sendero de confusión respecto a este tema. Tiempo atrás, cuando yo tenía aproximadamente doce años, si usted me hubiese preguntado a qué se parecía un hombre de Dios, pude haberlo descripto con microscópicos detalles, basado en mis observaciones. Él era, simplemente, un *Supersanto*:

–Ante todo, debía ser una persona que trajese la Biblia a la iglesia.

–La Biblia debería ser tan voluminosa como la guía de teléfonos de Atlanta. Una vez que la Biblia estuviese abierta, se podía ver que cada página estaba muy usada y subrayada con varios lápices de colores.

–Aun con la Biblia cerrada, este supersanto podía citar las Escrituras de memoria. Y no solamente un versículo por aquí y por allá, ¡este individuo podía recitar capítulos enteros con los ojos cerrados!

–Él era un computador bíblico. Podía hablar de Lutero y de Calvino como si hubiese almorzado con ellos ayer.

–Oraría en la iglesia en voz alta. Cada oración estaría llena de "a ti" y "tú" y de "adondequiera tú vayas" ¡al punto que la mayoría de nosotros no tenía idea qué estaba diciendo nuestro hermano!

–Su vestimenta dejaba bastante que desear. Lo que estaba de moda en ese momento era lo que esta persona *no estaba* usando. Después de todo deberíamos estar "separados del mundo", lo que me hace sentir como si la santidad caminase de la mano de un almacén de objetos de segunda mano.

EL CORAZÓN DE UN HOMBRE DE DIOS: CONOCER A CRISTO

Puede ser que usted no se sienta satisfecho de su vida actualmente, no existe una experiencia de la "vida abundante" que Jesús describió en los Evangelios. Esto pueda que no suceda en algunas áreas de su vida, sin embargo las observa en otras. Quizás usted se sienta culpable por no ser el supersanto que hemos descripto anteriormente. Usted está tenso porque siente que no ora lo suficiente y no lee la Biblia como debería hacerlo. Quiere hacer estas cosas pero aún no ha entendido cómo reunir todo esto. Si somos totalmente honestos, a veces parece como que nos abruma completamente.De todos modos, ¿cómo puede un hombre mover su corazón hacia Dios?

Para describir lo que significa poseer el corazón de un hombre de Dios, el mejor lugar para comenzar son las Escrituras. El apóstol Pablo hizo una de las más resumidas declaraciones, acerca de este tema que existe en toda la Biblia. En la prisión, Pablo escribió estas palabras a la iglesia en Filipos:

> *Y conocerle a El, el poder de su resurrección y la participación en sus padecimientos, llegando a ser como El en su muerte.*
>
> Filipenses 3:10

Las palabras clave de este versículo son las palabras "conocerle". ¿Qué significa conocer a Cristo? Una cosa es cierta, la palabra que Pablo usó para "conocimiento" significa mucho más que el acumular información estadística y objetiva. No es el mero conocimiento técnico y el reunir información lo que nos lleva a un relación íntima.

Piense en alguien cercano. Para mí, no hay un ser humano más íntimamente ligado a mí como Susana, mi esposa. La primera vez que nos encontramos en el colegio, comenzamos a citarnos. Había que aprender un poco el uno del otro, como saber dónde habíamos pasado nuestra niñez, cuántos hermanos y hermanas tiene, qué tipo de comida nos gustaba, qué clase de música y cosas como éstas. Los "hechos" son útiles para comenzar a formar una amistad.

Pero al transcurrir el tiempo y seguir saliendo, comencé a ver a Susana bajo un aspecto distinto. Quería conocerla aún más, y no era en forma intelectual. No era solamente sus conocimientos que poseía lo que me impulsaba a crecer mi amor por ella. Era el compartir nuevas experiencias, aprender a conocer cómo pensaba, sentía y reaccionaba ante la vida lo que me llevó hacia ella. ¡Fue el proceso de ir del conocimiento al lugar de acción.

Es esta clase de conocimiento empírico de intimidad del corazón y de la vida, lo que nos lleva más cerca de Dios. Pero, igual que conocer a la persona con la cual usted se cita o su pareja, el conocimiento de Cristo sigue un patrón que nos mueve de los niveles más superficiales de la amistad hacia una relación de intimidad. La progresión sigue.

EL CORAZÓN DE UN HOMBRE DE DIOS: NIVELES DE AMISTAD

Conocer a Cristo sigue el mismo camino que usarían dos personas que se convierten en buenos amigos. Considero muy útil poner nuestra vida espiritual en términos con los cuales podamos indentificarnos. Si el seguimiento de los niveles de la amistad puede ayudarle a conocer mejor a

Cristo, entonces he alcanzado mi objetivo. Existen cuatro niveles de amistad que la mayoría de nosotros experimentamos cuando entramos en contacto con las personas. Lo mismo sucede en el crecimiento de una amistad e intimidad con Dios.

Nivel uno: El comienzo de la amistad

El primer nivel de la amistad es el del conocimiento. La mayoría de nosotros tenemos en nuestras vidas este tipo de relaciones. Años atrás, en el colegio, solía echar a patadas a mis compañeros que regresaban de merodear por el campo universitario, observando a la gente al pasar. Ellos gritaban a veces "¡me encontré con la chica más maravillosa y yo *sé que ella es para mí*"

Si usted está buscando pareja para casarse, éste no es el nivel de amistad para basar su elección. Observaba que a estos mismos muchachos se les partía el corazón debido a que las chicas que habían conocido no tenían la misma clase de sentimientos recíprocos. Por lo general, las chicas no ven las cosas de la misma manera y esto lleva a tensiones. Estos muchachos terminarían por descargar todo el cúmulo de sus penas sobre estas desprevenidas muchachas.

El nivel uno de la amistad no es el lugar apropiado para compartir pensamientos, sentimientos íntimos y profundos. Simplemente no existe base suficiente para mantener esta clase de diálogos. A este nivel aún tenemos que ganarnos el derecho de compartir en profundidad. Los sociólogos nos dicen que la persona promedio se relacionará con miles de personas durante su vida. Es importante ser cálidos y amistosos con las personas, porque esta es la manera subir la escalera de relaciones más íntimas. Comenzamos a reunir información y confidencias, en busca de una base en común, para lograr así una relación en crecimiento.

Nivel dos: La amistad social

Quizás la mejor manera de describir este nivel de amistad es por medio de un versículo en Hechos, describiendo a la iglesia primitiva:

> *Día tras día continuaban unánimes en el templo y partiendo el pan en los hogares, comían juntos con alegría y sencillez de corazón.*
>
> Hechos 2:46

Con frecuencia alcanzamos un cierto nivel en nuestras amistades en donde descubrimos que disfrutamos comer juntos. (¡Yo sé que con este concepto he alcanzado a la mayoría de los hombres en todo el mundo!) Estas son las amistades sociales.

Muchas personas se encuentran solas porque nunca tuvieron la experiencia de este tipo de amistades. Creo que necesitamos amistades sociales en nuestras vidas. ¿Cuándo fue la última vez que se encontró con alguien en este tipo de contexto social? ¿Es esta un área en su vida que necesitaría ser mejorada?

Es importante aprender cómo ser amigos y cómo alimentar las amistades. Manteniendo amistad con creyentes cristianos añadirá conocimientos a su vida. Es vital para su crecimiento en el Señor. Todos necesitamos amistades sociales. Alterne con las personas y relaciónese con ellas. Usted puede hacerlo con muchas personas, tal como se evidencia en el testimonio de la iglesia primitiva. Ellos compartían constantemente las comidas con gozo y sinceridad en sus corazones.

Los niveles uno y dos son buenos, pero no llegan lo suficientemente lejos. No poseen realmente el potencial para cambiar una vida. La confianza sigue ausente, la cual es un ingrediente clave. Por esto el nivel de amistad siguiente es tan importante, sin embargo es una barrera difícil de cruzar en las vidas de muchas personas.

Nivel tres: La estrecha amistad

Luego de estudiar relatos bíblicos acerca de las amistades, he arribado a la conclusión que generalmente es una gran necesidad o una crisis la que une a las personas en el nivel de una amistad más cercana. Mientras ayuda a una persona que se encuentra en una necesidad extrema, usted siente frecuentemente que esta circunstancia en particular los ha unido más íntimamente, aun cuando socialmente no hubiesen intimado.

Cuando usted comparte con otra persona una necesidad especial, Dios los acerca y desde este momento hay algo especial en vuestra amistad. El libro de Proverbios habla de esto:

> *No abandones a tu amigo ni al amigo de tu padre, ni vayas a la casa de tu hermano el día de tu infortunio. Mejor es vecino cerca que un hermano lejos.*
>
> Proverbios 27:10

Los cristianos experimentan esta verdad. Descubrimos con frecuencia que nuestros hermanos y hermanas en Cristo son frecuentemente más íntimos con nosotros que nuestros parientes de sangre.

Piense en el clásico ejemplo bíblico de David y Jonatán. Aun después de la muerte de Jonatán, David cuidó en su casa a uno de los parientes de Jonatán. La amistad entre David y Jonatán fue tan grande debido a que Dios los había unido en una crisis y cada uno pudo alcanzar las necesidades del otro. Esta es una amistad íntima. Podemos tener esta clase de relaciones, pero solamente con pocas personas. Esto no es debido a que usted no desea tenerlas con muchos, sino debido a que hay un peligro en tener demasiadas personas con las cuales poder compartir sus necesidades en momentos de crisis.

¿Puede tener una persona amigos cercanos aparte de su compañero de matrimonio? Por supuesto. La Biblia nos alienta a esto. Pero existe otro nivel. Sería la relación entre el marido y la mujer y puede también darse de hombre a hombre o entre un grupo de hombres.

Nivel cuatro: La amistad íntima

¿Qué es exactamente una amistad íntima? Ella involucra una aceptación total, confianza el uno por el otro, completo entendimiento sin sentimientos de juicio, la ausencia de presiones sobre la otra persona, un sentido de protección y, por supuesto, un amor incondicional.

La amistad íntima significa que su carácter está en buenas manos cuando ambos están solos. Los amigos íntimos lo aman a usted en todo tiempo, defendiéndolo aun a pesar de conocer sus faltas y debilidades. No esperan que usted sea lo que no es. No ejercen demasiadas demandas y presiones sobre usted. Están presentes cuando usted los necesita; están para compartir su vida. No hay nada que usted les pueda decir que no pudiesen comprender. Ellos lo aceptan y lo aman, sin que nada importe, a pesar de lo negativo o positivo que pudiese ser. Son un recurso para ayudar a que usted se convierta en lo que Dios se ha propuesto que sea.

Con la mayor frecuencia se ve este tipo de amistad en el compañero de matrimonio. No obstante todos nosotros necesitamos un amigo en este nivel ya seamos casados o solteros. Esta intimidad, vulnerabilidad y transparencia son vitales para el crecimiento de nuestra salud espiritual y emocional.

Una relación estrecha con Dios sigue la misma progresión. ¿En cuál nivel de amistad está usted con Dios? Observe la progresión de estas preguntas:

¿Es Dios para mí una incipiente amistad, o es Él más?
¿Es Dios una amistad social para mí, o es Él más?
¿Es Dios una amistad cercana para mí o es Él más?
¿Es Dios una amistad íntima para mí?

Por favor, comprenda que no hay nada malo en cualquiera de estos niveles de amistad.

Pero cuando se trata de nuestra relación con Cristo, deberíamos ir hacia una profundísima intimidad y no sentirnos satisfechos con los primeros niveles: Todo se relaciona con la frase "para conocerlo a Él".

Cuando contemplamos la progresión hacia una más profunda intimidad en nuestras relaciones, la pregunta obvia es: ¿qué hace falta para ir hacia una relación más íntima? Esto es lo que nos va a ayudar no solamente en nuestras relaciones humanas sino que también nos llevará hacia nuestra meta de "conocer a Cristo" en nuestro viaje espiritual. Estas necesidades fundamentales son las que la disciplina espiritual está destinada a llevarnos.

EL CORAZÓN DE UN HOMBRE DE DIOS: NECESIDADES FUNDAMENTALES PARA LA INTIMIDAD

Hay muchas cualidades que deberíamos poseer para una relación íntima, y las mismas hablan de cómo actúa el Señor hacia nosotros. La lista es larga, pero nombremos algunas solamente.

- ***La confianza***

Es importante comenzar con esta característica. No sé cuántas veces he oído decir a las personas que han luchado con el dolor personal y el desagrado debido a que uno de sus íntimos amigos divulgó algo que ellos deseaban que quedara en secreto. Antes que transcurra mucho tiempo, la íntima amistad comienza a deteriorarse. En Proverbios se lee:

> *El que cubre una falta busca afecto, pero el que repite el asunto separa a los mejores amigos.*
>
> Proverbios 17:9

El que cubre una falta está buscando amor, pero el que repite terminará por separar a los amigos más íntimos. La confianza es el factor vital en este nivel, deberá ser la protección y la defensa de la relación. No comparta con otros lo que le ha sido compartido en privado. Esto crea confianza.

- ***La confrontación y el cuidado***

Aquí el tema clave es el balance. La confrontación deberá estar ligada con el cuidado de lo individual, tanto como el compromiso al resultado. Esta es una dimensión difícil de la intimidad, no obstante es una de las importantes. "Un momento" oigo decir a alguien, "no deseo una relación que incluya discusión y pelea" Yo estoy de acuerdo, pero la confrontación es algo diferente. Nuevamente nos es útil el libro de Proverbios:

> *Mejor es reprensión franca que el amor encubierto. Fieles son las heridas del amigo, pero engañosos los besos del enemigo.*
>
> Proverbios 27:5-6

También el Nuevo Testamento habla de este tema:

> *Sino que hablando la verdad en amor, crezcamos en todos los aspectos en aquel que es la cabeza, es decir, Cristo.*
>
> Efesios 4:15

Algunas personas no creen en hacerle frente a una situación porque no desean la disputa. No quieren traer nada a la relación que puede ser una amenaza. Pero la falta de enfrentar la situación es una indicación de ausencia de amor. Ellos no aman a la otra persona de la manera que Dios desea que amen al prójimo, más bien se están protegiendo a sí mismas.

En un pastorado anterior, yo tenía a una querida anciana que me confrontaba con bastante regularidad. Marchaba por el pasillo después del servicio o me llamaba luego durante la semana por teléfono. Si quería un careo, siempre comenzaba con "bueno, Glenn...."No con "bueno, pastor..." pero sí con "bueno, Glenn..."Cada vez que alguien con más de setenta años lo llame por su primer nombre, ¡preste atención! Pero yo sabía siempre que venía a mí porque me amaba. Estaba preocupada por mi ministerio y su dirección. Siempre unía la confrontación con la atención.

La clave está en llegar al tema de la confrontación con un corazón lleno de amor y humildad. Esto hace toda la diferencia del mundo. La confrontación no es fácil, pero es una necesidad fundamental. Con frecuencia somos sinceros y entusiastas, pero carecemos de la capacidad de restaurar las cosas cuando se sale un poco de su curso. Por ello es tan significativa la confrontación para la salud de una relación íntima.

- ***El consejo***

¿A quién recurre usted cuando necesita sabiduría, discernimiento y consejo respecto a un gran problema en su vida? La primera respuesta a nivel humano debería ser la persona que usted considera un amigo íntimo.

> *El ungüento y el perfume alegran el corazón, y dulce para su amigo es el consejo del hombre.*
>
> Proverbios 27:9 BdlA

El consejo que usted recibe de su amigo íntimo es lo que le da el estímulo, la exhortación y la advertencia que verdaderamente lo estira a todo su potencial. !El versículo anterior es como decir que el consejo es el desodorante que todos necesitamos! Es muy dulce cuando alguien le da esta clase de estímulo.

Una de las sugerencias prácticas que frecuentemente les doy a las personas que desean mayor intimidad es que aprendan cómo hacerle preguntas al otro. Es haciendo estas preguntas que frecuentemente conocemos rasgos más profundos el uno del otro. Puede llegar a ser de gran efectividad.

- ***El compañerismo***

Dios estableció este elemento al comienzo de la historia humana. El libro de Génesis nos recuerda:

> *Y el Señor Dios dijo: No es bueno que el hombre esté solo: le haré una ayuda idónea.*
>
> Génesis 2:18

El compañerismo representa más que dos personas estando juntas en el mismo lugar al mismo tiempo. Una vez me comentó un hombre que cuando salía a cenar con su esposa sentía como que estaba comiendo solo. No existía nada. Ellos no tenían un compañerismo y yo me condolí por ese hombre.

Por el otro lado, una mujer una vez me dijo: ¡Disfruto tanto cuando estoy con mi marido! Es tan excitante para mí. Otros lo ponen en duda, pero no yo. Lo ven tan tranquilo y aburrido,¡pero no lo conocen como lo conozco yo!" Esta pareja tenía algo especial. Si los dos están pasando un buen rato, ¿qué importa lo que piense la gente?

El compañerismo es vital. Hablando espiritualmente, es reconfortante saber que el Señor está constantemente con nosotros. Yo recuerdo haber escuchado a un soldado contar su historia de Vietnam mientras estaba confinado en un campamento de prisioneros de guerra. El mayor castigo no era algún tipo de castigo físico, sino era el estar separado de los otros. Durante estas largas y solitarias horas de doloroso e incomunicado encierro, este querido hombre cristiano llamó a su más íntimo amigo, Dios mismo.

¿No es maravilloso saber que cuando ocurren cosas en su vida de las que nadie se entera, usted tiene a alguien que le brinda su ayuda, lo conoce y lo ama? Solamente hace falta estar juntos para curar las heridas y enfrentar las necesidades.

- ***La constancia***

¿Dónde está usted cuando su amigo lo necesita realmente? El amigo más íntimo es aquel que se brinda a sus amigos.

> *En todo tiempo ama el amigo, y el hermano nace para tiempo de angustia.*
>
> Proverbios 17:17

Este es un versículo que es todo perseverancia.

Expresa que una parte de la íntima amistad es estar para el otro, no solamente cuando conviene, sino también en los momentos difíciles.

Esta cualidad disminuye con frecuencia en nuestras relaciones humanas al paso de los años si no tenemos un ojo puesto sobre ella. Será otro tema del cual jamás nos tenemos que preocupar en nuestras íntimas relaciones con el Señor. Él siempre está presente, no importa lo que ocurra. Es la belleza de su constancia.

- ***El compromiso***

> *El hombre de muchos amigos se arruina, pero hay amigo más unido que un hermano*
>
> Proverbios 18:24

Este versículo nos enseña que demasiados amigos frecuentemente dañan a la persona. Es imposible intimar con muchas personas a la vez. Eso trae la tendencia a un estallido emocional. Pero la última parte del versículo nos habla del valor de un solo amigo. En realidad, la palabra hebrea usada es "amante". Hay un amante maravilloso que está más unido a nosotros que un hermano. Ella o él se abraza a usted con más fuerza de la que lo haría un hermano de sangre.

Yo creo que la primera enseñanza de este versículo es para otro ser humano, un amigo humano. Pero, por supuesto, también posee aplicación espiritual al referirse al Señor de nuestras vidas. Él es el amigo más querido que podemos tener. Y siempre estará comprometido con nosotros.

El compromiso es un concepto fuera de moda en nuestro mundo de escapismo permisivo e irresponsable.Hay muchos que se escapan antes de comprometerse, justificando sus vaivenes en sus relaciones. En la intimidad, no obstante, el compromiso es un elemento clave.

Entonces, ¿cómo está usted respecto a estas necesidades fundamentales de su vida? Piense acerca de estas preguntas:

¿Confío yo en Dios?
¿Confía Dios en mí?
¿Permito a Dios que me confronte con áreas problemáticas de mi vida?
¿Escucho el consejo de Dios?
¿Me escucha Dios?
¿Es Dios alguien a quien puedo considerar mi compañero?
¿Me considera Dios su compañero?
¿Cómo puedo manifestar el tipo de constancia que Él me demuestra?
¿Estoy verdaderamente comprometido con Dios?
¿Está Dios verdaderamente comprometido conmigo?

EL CORAZÓN DE UN HOMBRE DE DIOS: REQUISITOS PREVIOS PARA LA INTIMIDAD

Una pregunta admisible a continuación respecto a los niveles de la amistad podría ser: "¿Qué debería hacer para pasar de una mera relación superficial a una de más intimidad?" Desafortunadamente, los hombres son conocidos por su dificultad en efectuar cualquier clase de cambios que los alejen de lo superficial. No obstante, existen pasos concretos y prácticos que una persona puede adoptar para hacer de la intimidad una realidad.

Estoy en deuda con mi buen amigo el Dr. Rod Cooper por confeccionar esta lista de cualidades necesarias para cualquier persona que quiera ir del aislamiento a la intimidad. Poseyendo estas seis cualidades aseguraremos que podemos ir hacia una relación sin un gran problema de "bagaje".

1. Una autoimagen sólida
2. Empatía
3. Lealtad
4. Confianza
5. Tardar en gratificarse
6. Los límites

Es digno de hacer notar que estas seis cualidades corresponden a los rasgos hallados en el carácter de Dios. Él es seguro de sí mismo, Él nos comprende, Él nunca nos fallará, puede confiarse en Él, Él está dispuesto a esperar por el cumplimiento de Su deseo y Él nunca se impondrá a nosotros.

EL CORAZÓN DE UN HOMBRE DE DIOS: VALE EL ESFUERZO

El padre de mi madre fue un músico excelente. Un día, siendo yo joven, nuestra familia fue a visitar a mi abuelo. Recuerdo que el motivo fue la reciente muerte de mi tío. Después de cenar, mi abuelo se sentó con mi hermano y conmigo para una seria conversación.

—Muchachos —comenzó a decir—, desde la muerte de vuestro tío no he tenido más el deseo de tocar mi trompeta.

Mi hermano y yo nos miramos con expresión perpleja y confundida. Después de todo, yo solamente tenía cinco años de edad, por lo que no tenía idea adónde quería llegar él con una conversación de esta naturaleza.

—Bueno —continuó en tono serio—, lo que quiero saber es ¿cuál de ustedes dos quieren ocupar mi lugar? ¿Cuál desea convertirse en el nuevo músico de la familia?

—Yo quiero, abuelo —me ofrecí.

Con esto, su rostro serio se transformó en una sonrisa cuya calidez se irradió a través de la pequeña habitación.

—Glenn, tengo algo para ti, me dijo mientras sacaba detrás de la silla un estuche muy usado.

—¿Qué es? —le pregunté con curiosidad.

—Es mi trompeta.

Tragué con fuerza, sabiendo que esto era un regalo increíble. Pero solamente era el comienzo del regalo de mi abuelo para mí. Junto con la trompeta, hizo los arreglos necesarios para que yo comenzara a tomar lecciones con un maestro maravilloso, un viejo amigo de él. Lo que mi abuelo me regaló realmente fue el regalo de la música. Me llevó a conciertos en el parque y en el teatro local. Con frecuencia, después de uno de los conciertos, me llevaba detrás del escenario, donde mi abuelo me presentaba a algunos de sus amigos músicos. Mientras yo escuchaba su conversación, algunos de los músicos sacaba a relucir la pieza musical favorita de mi abuelo:

—Si dejas de practicar un día, te darás cuenta tú. Si dejas de practicar dos días, se dará cuenta tu maestro. Si dejas de practicar tres días, todo el mundo se dará cuenta. Desafortunadamente, en mi carrera de trompetista he tenido muchas oportunidades en la cuales dejé de practicar por más de tres días. Oh sí, yo era capaz de ser disciplinado por cortos períodos de tiempo, especialmente si tenía un solo en un concierto (creo que no quería avergonzarme). Pero nunca fui capaz de mantener la disciplina necesaria para convertirme en un gran músico.

Yo era bueno, tenía potencial pero nunca llegué a ser algo importante. Contrastando con esta historia, mi hija Haven comenzó en un momento de su vida a dedicarse al patinaje artístico sobre hielo. Me hizo avergonzar en términos de disciplina personal. Ella podía estar cinco o seis días por semana sobre la pista de patinaje sobre hielo para mejorar sus aptitudes. Y no me recuerdo nunca haberle recordado sus prácticas. En realidad, debíamos alentarla para que "tomase algunas vacaciones" de vez en cuando. Estaba muy concentrada, muy disciplinada y muy comprometida para poder llegar un día a las Olimpíadas.

Aunque hace tiempo que este sueño se ha interrumpido, ella continúa mostrando su capacidad para autodisciplinarse para alcanzar una meta.

Es la misma fuerza interior de la que habló el apóstol Pablo cuando alentaba a los creyentes a "disciplinarse para los propósitos de Dios". Creo que por esto, este libro está ahora en sus manos. Este es un libro para los hombres que quieren fortalecer sus corazones espirituales y crecer en santidad, tomando un rumbo hacia la meta final de conocer a Cristo.

A través de la historia de la iglesia, las herramientas que mejor se han prestado para conseguir esta metas se llamaron las *disciplinas espirituales*. Los historiadores y los teólogos las han reunido en varias listas y sublistas. Pero para nuestros propósitos, vamos a considerar lo siguiente:

- Lectura de la Biblia
- Estudio de la Biblia
- Memorizar la Biblia
- Meditar sobre la Biblia
- La oración
- La adoración
- El ayuno
- La soledad
- Prácticas diarias
- La entrega
- Comunicar nuestra fe
- La responsabilidad

Este no es un intento de reducir la santidad a una astuta fórmula o una receta que puede ser ingerida como una medicina azucarada. Ni se trata de una lista que debe ser controlada como si no hubiese nada más significativo que cortar el césped o sacar la basura.Pero es un intento serio de descubrir la realidad que nosotros los hombres estamos deseando. Yo creo honestamente que a través de la perseverante aplicación de estos tipos de disciplinas, llegaremos a descubrir lo que significa realmente tener el corazón de un hombre de Dios. Comencemos nuestro viaje.

Créanme, valdrá el esfuerzo.

CAPÍTULO UNO

NO ES UN DEPORTE PARA ESPECTADORES

Por qué frecuentemente nos contentamos los cristianos con ser salvos, entrar en la iglesia los domingos, hundirnos en los asientos, dormitar y escabullirnos a la hora señalada (ya sea que el servicio haya terminado o no)?

¿Por qué estamos tan dispuestos a ser espectadores en el reino y entregarnos a una vida espiritual mediocre?

¿No sería mucho más excitante estar en el medio de la acción, poniéndonos en el centro de la obra de Dios en el mundo? Sin embargo la mayoría de nosotros nos mantenemos firmemente plantados al margen. ¿Por qué no nos levantamos y nos involucramos?

Quizás es porque no tenemos ni aprensión ni un concepto erróneo (o ambas cosas) de lo que cuesta desarrollar el corazón de un hombre de Dios.

¿Qué *se* necesita? Disciplina.

¿No es interesante que hasta el jugador con menos talento de un equipo quiere no obstante entrar en el juego? En la secundaria, había un muchacho en nuestro equipo de baloncesto quien, al tiempo de ser un gran amigo, poseía escasa capacidad. Pero Kevin siempre quería jugar. Él amaba el juego. En una ocasión, estuvo suplicando al entrenador para que lo dejase jugar.

Finalmente, faltando pocos minutos, el entrenador le permitió entrar. Comprendiendo que ésta era su oportunidad, se quitó rápidamente su camiseta de precalentamiento. En su excitación,¡no se percató que también se había quitado su camiseta!. Créalo o no, Kevin no se dio cuenta y corrió al campo de juego con el pecho desnudo.

Actualmente en la iglesia, no tenemos muchos Kevin corriendo de arriba a abajo por los laterales, suplicando al entrenador para que les permitan entrar. Tal vez la razón es este tema de la *disciplina*.

Yo personalmente odio la palabra *disciplina*. No es un concepto que me satisface. Sin embargo es una fuente constante de tensión en mi vida. Igual que muchos hombres que conozco, poseo áreas en mi vida en las que soy disciplinado. Por ejemplo, en mi trabajo y ministerio. Tengo una cadena completa de disciplinas ocupacionales entrelazadas entre sí sin ningún problema. Vivo en un contexto de fechas límite, compromisos, reuniones, y cumplimientos de compromisos. Puedo organizar mi rutina diaria con una lista y un programador diario como el mejor. La planificación por adelantado me queda tan bien como un traje hecho a la medida.

Sí, soy muy disciplinado en mi trabajo. Pero luego viene mi *vida personal*, que ya es otra historia. Bueno, no soy un fracaso completo; pero poseo dos áreas que me avergüenzan: los ejercicios físicos y hacer cosas en la casa.

Yo conozco la importancia de cuidar de nuestros cuerpos. Mis compañeros juegan tenis, se entrenan en el gimnasio, juegan baloncesto durante su tiempo de almuerzo o trotan quince kilómetros antes del desayuno. Yo no puedo encontrar la necesaria disciplina para acompañarlos en esas actividades. Traté de trotar, pero me di cuenta que mientras corría nunca vi a un trotador sonriendo. ¿Por qué iba yo a hacer algo que entristece a la gente? Por eso elegí el golf...y *monto* vehículos cuando es posible.

Luego está todo el tema de trabajar en cosas en la casa. Susana es muy disciplinada para hacer la lista de "hazlo-querido"; por qué no puedo juntar la disciplina para completar esas tareas? No sé qué es peor, no meterme nunca en proyectos o empezarlos y nunca terminarlos. Sea lo que sea, mi calificación de disciplina personal deja mucho que desear.

En la actualidad voy mejor en esas áreas. Lenta pero constantemente voy quitando temas de la lista de quehaceres, y también estoy mejorando con los ejercicios manteniéndome en peso. Pero aunque tengo progresos, la disciplina trae lucha consigo.

LA DISCIPLINA: ¿NEGATIVA O POSITIVA?

La disciplina consigue una crítica negativa durante bastante tiempo. En su libro *Disciplinas religiosas personales*, John Edward Gardner trata el daño causado por esta forma de pensar:

> *Si una disciplina espiritual es empleada principalmente como un factor restrictivo y de contención en la conducta humana, no será de utilidad. Desafortunadamente, la disciplina ha sido interpretada en términos de corrección y castigo. Mientras que éstos pueden ser subproductos muy apropiados, hay algo más. Cuando el objetivo de la disciplina es fundamentalmente purificar el yo, lo más probable es que se desarrolle la creación de una vacío espiritual. La disciplina concebida adecuadamente debe ser positiva y creativa. A los efectos de producir grandes beneficios, deberá proveer al que lo practica un sentimiento de gratificación, satisfacción y fascinación.*[1]

Leer este párrafo fue algo refrescante para mí. ¿Por qué nosotros los hombres vemos al concepto de la disciplina como algo tan intimidatorio, tan amenazante, tan imposible de lograr?

Gardner ciertamente da en el blanco con su comentario acerca de nuestro concepto de la disciplina como restrictiva y de contensión. Pero esto solamente se agrega al sentimiento de que ser un hombre de Dios está fuera de mi alcance.

Hablando en términos de santidad, puedo recordar, pensando como un adolescente, cuán imposible sería para mí su cumplimiento. Decidí a temprana edad que nunca podría ser un predicador. Llegué a la conclusión que *yo no era suficientemente espiritual*. Los hombres que yo veía a cargo de la iglesia podían predicar hasta el cansancio, orando hasta la inconsciencia. Y recitar de memoria toda la lista de los misioneros en el extranjero cuyas fotografías colgaban en el atrio.

HOMBRES CORRIENTES USADOS POR DIOS

Pero las Escrituras nos pintan un cuadro muy distinto. Mire más de cerca a los hombres de la Biblia. Ellos no eran estatuas de yeso perfectas sobre su pedestal. Eran personas reales, de carne y hueso. Con sus defectos e imperfecciones. Sin embargo fueron usados poderosamente por Dios.

Consideremos algunos ejemplos:

- Pablo: antes de su conversión, perseguía con máximo celo a la gente de Dios; después pudo experimentar el gozo del Señor mientras soportaba el castigo de la prisión a causa de su fe.
- Job: es la clásica historia de un tipo corriente que amaba a Dios y pasó por pruebas increíbles. Él se atrevió a hacerle preguntas a Dios, pero sin embargo decía: "He aquí, aunque Él me mate, en Él esperaré" (Job 13:15BdlA).
- Nehemías: servía a un rey pagano, sin embargo Dios lo usó para conducir a la nación entera de Israel a reconstruir los muros alrededor de Jerusalén.

- Gedeón: en un momento estaba escondido lleno de temor; entonces Dios lo llamó para derrotar a los enemigos de Israel y restaurar la libertad.
- David: en momentos de debilidad cometió adulterio y asesinato. Sin embargo, la mayor parte de su vida fue un hombre que marchó de acuerdo con los designios de Dios.
- Noé: no parecía haber nada de extraordinario en este hombre hasta que la tierra fue inundada y la única manera de salvarse fue el arca que él había construido en obediencia a la orden dada por Dios.
- Pedro: ¡aquí se habla de una persona del término medio! Él era un hombre que luchaba constantemente con su temperamento, hablando sin pensar (generalmente abría su boca durante el tiempo en que sacaba una pata y metía la otra), y con una variedad de defectos comunes. Sin embargo se convirtió en un apóstol y fue el autor de dos libros de la Biblia.

En un reciente viaje a Rusia, me reuní con un grupo de pastores que discutían acerca del ministerio de los hombres en la iglesia local. Durante una de las comidas, mi intérprete me preguntó si yo me había reunido con "aquel pastor". Me señaló a un pequeño e insignificante hombre de barba que entraba en ese momento a la sala. Le contesté que no. Entonces comenzó a contarme la historia de ese hombre. El hijo de ese hombre barbudo pastoreaba ahora la iglesia fundada por su padre. Pero antes de la caída del comunismo, ese hombre había pasado veinticuatro años en la cárcel en Siberia. Un día vino la policía para decirle que debía dejar de predicar. Él escuchó atentamente lo que tenían que decirle, pero después les informó que él debía obedecer a Dios más que a los hombres. El próximo domingo, estaba en Siberia.

Quedó libre después de ocho años, nuevamente con la orden de no predicar. Su respuesta fue la misma de la vez anterior.

Predicó el siguiente domingo, fue arrestado inmediatamente y sentenciado a otros ocho años de prisión.

Después de ser dejado en libertad por segunda vez, fue advertido nuevamente acerca de no predicar. Nuevamente contestó que debía obedecer a Dios. Nuevamente predicó. Nuevamente fue enviado a Siberia.

Este "pequeño" hombre (medía alrededor de un metro cincuenta y siete) poseía una gran pasión y compromiso. En la actualidad él tiene más de ochenta años y está encorvado por los estragos de la prisión y de la edad. Pero si lo mira a los ojos, puede ver el fuego que aún arde en su alma. Esta pasión y compromiso hace que al que el mundo llama "corriente" o "insignificante" y lo engrandece en el reino de Dios. Así era la pasión y el compromiso de un profeta como Isaías o un evangelista como Pablo.

Nosotros necesitamos la misma pasión y compromiso por el Señor en nuestras vidas diarias.

En la iglesia que estaba pastoreando, presenté a un predicador invitado para una serie de conferencias especiales y como muchos otros predicadores invitados, estaba apasionado por su tema. En la mitad de una parte emotiva (¡sin mencionar a viva voz!) de su mensaje, hizo una serie de preguntas a la congregación:

"¿Son los cristianos gente del Libro?"
"¿Son los cristianos gente de oración?"
"¿Son los cristianos gente de adoración?"
"¿Son los cristianos gente de confraternidad?"

A todas estas preguntas la congregación respondía con vehementes "¡amén!" Pero él señaló un punto importante: "si las cosas son así, ¿por qué tantos que se hacen llamar cristianos viven vidas no cristianas en estas áreas?

Nosotros manifestamos frecuentemente que una persona está viviendo como un no cristiano cuando hace ciertas cosas o comete ciertos pecados. Pero este hombre estaba mostrando que, fundamentalmente, vivir una vida no cristiana es descuidar disciplinas tales como leer la Biblia, orar, adorar y confraternizar, recursos éstos que Dios proveyó para capacitarnos a vivir vidas en santidad.

La iglesia necesita cristianos apasionados y comprometidos con su fe y deseosos de ser involucrados.

LA PASIÓN DE SER INVOLUCRADOS

"Yo no soy exactamente el tipo de persona que quiere involucrarse", es un comentario que yo escucho con frecuencia. Generalmente proviene de un hombre que desea ser sincero. No se ve a sí mismo como un tipo extrovertido, lleno de energía y produciendo grandes conmociones. Yo aprecio su franqueza, pero un vistazo más de cerca puede revelarnos el otro lado de este hermano apacible.

La verdad es que todos nosotros somos agresivos en muchos aspectos. ¿Usted siente alguna relación con lo que detallamos a continuación?

- *La política.* ¡La mera mención de esta palabra puede poner a la persona más tímida a discutir respecto a lo que está bien o está mal en su país!
- *La vocación.* Aquí existe un gran ejemplo de compromiso. Una de nuestras metas como hombre es descubrir en la vida nuestro llamado vocacional y perseguirlo con vigor.
- *Los deportes.* Bueno, es un cliché masculino, pero realmente es cierto. Conozco a personas que son tranquilos en muchos aspectos, pero póngalos en un estadio o frente al televisor donde se muestra a su equipo favorito en acción y casi se treparán por las paredes con la excitación de sentirse parte del juego, sin mencionar que saben mucho más que el entrenador respecto a lo que el equipo debería estar haciendo.
- *La música.* ¿Quiere dividir rápidamente una habitación? Pídale a la gente que aclaren sus gustos personales

acerca de la música. Esto es especialmente peligroso en una reunión cristiana. He visto a iglesias separarse por el tema de "música contemporánea y música tradicional". Este tema genera gran energía, pasión y convicción. Yo sólo espero que no sea el precio de la unidad.

- *El crecimiento espiritual.* Bueno, traté de no tocar este tema: Concedido, esto no es lo que normalmente pensamos cuando pensamos en una participación agresiva, activa, pero espero que pueda cambiar su punto de vista.

A veces Dios usa las circunstancias, o hasta una tragedia para impulsarnos a que nos involucremos. En varias ocasiones tuve el privilegio de ministrar en la iglesia St. James en Cape Town, Sudáfrica. Puede que usted haya oído hablar de esta gran iglesia y de su pastor, el reverendo Frank Retief. Ha tenido un profundo impacto en Sudáfrica y es conocida como una iglesia que alcanza más allá de las barreras de la raza y de la cultura.

En la noche del 25 de julio de 1993, durante el servicio vespertino, la puerta cercana al estrado se abrió violentamente justo cuando un dúo estaba terminando el tiempo de alabanza. Un hombre estaba parado en la puerta, vestido con ropas oscuras, con un arma automática R4 en sus manos. La gente estaba pasmada. ¿Era ésta una representación dramática? ¿Era este hombre meramente uno que llegaba tarde? Desafortunadamente este hombre comenzó a disparar con balas toda la congregación. Los heridos gritaba y lloraban pidiendo ayuda. Otros buscaban refugio.

Luego, el pistolero lanzó una granada, que había sido unida a una lata de clavos, dentro de la congregación. La explosión esparció clavos y metralla por doquier. Cincuenta y tres persona fueron heridas. Un joven perdió la vida al cubrir a sus dos amigos para protegerlos. También perdió su vida una joven madre de tres criaturas.

Cada vez que tengo el honor de estar en St. James, me abruma ver lo que Dios ha hecho a través de esta tragedia. Por ejemplo, el pastor Relief me contó la historia de un hombre de color que estaba sentado cerca del frente cuando ocurrió el ataque. Cuando la gente buscó refugio, fue empujado inadvertidamente dentro del pasillo. Mientras buscaba amparo, sintió que algo lo golpeaba en su espalda, y sintió que su pierna derecha se entumecía. Dijo: "¡está bien, Señor, te serviré con una sola pierna!" Luego sintió que algo lo golpeaba por segunda vez en la espalda, Esta vez se le entumeció la pierna izquierda. ¿Su respuesta? "¡está bien, mi Dios. Te serviré sin piernas!"

Durante el servicio al que yo asistí, este hombre estaba sentado en el banco del frente. Tiene un daño físico y emocional permanente, no obstante una cosa sigue siendo cierta, no está en los caminos laterales. Tiene el compromiso de ser un jugador en el campo de juego por la causa de Cristo. ¿Cuál es el factor común que cubre todos estos casos? Es *la pasión*. Es el sentimiento dentro de nosotros que nos mueve del sillón al campo de deportes. Nosotros también podemos ser ese algo tan agresivo, tan apasionado en el crecimiento espiritual. No es pedir demasiado. Dios puede hacer que suceda.

ADVERTENCIA: POSIBILIDAD DE PELIGRO MÁS ADELANTE

Un joven estaba volviendo a pie a su casa ya tarde en la noche y decidió tomar un atajo por un cementerio. En la oscuridad, cayó en una tumba abierta. Gritó pidiendo ayuda hasta que su voz se debilitó por el esfuerzo. No importaba cuán fuerte gritase, nadie estaba allí para ayudarlo.

Trató de escalar la tumba pero era demasiado profunda. Sus brazos y sus piernas comenzaron a debilitarse por el cansancio. Completamente extenuado, decidió finalmente sentarse en una esquina de la tumba, esperando que a la mañana hiciesen su aparición los trabajadores del cementerio.

Poco tiempo después, otro muchacho que también eligió tomar un atajo cayó en la misma tumba abierta. Igual que el primero, empezó a gritar por ayuda, tratando con todas sus fuerzas trepar fuera de la tumba, sin éxito alguno.

De pronto, el segundo muchacho oyó una voz que salía de uno de los rincones de la tumba diciéndole: "¡no puedes salir de aquí!"

Pero él pudo.

Todo es según la motivación.

Desafortunadamente, es posible estar motivado para hacer bien las cosas y sin embargo usar el método equivocado. Esto era lo que aparentemente estaba sucediendo en las iglesias en la región conocida como Galacia, en tiempos del Nuevo Testamento. El apóstol Pablo tuvo que escribirles para corregir su metodología. Ellos habían adoptado un método que es conocido en la actualidad como Galacionismo.

Dicho simplemente, el Galacionismo es la errónea creencia que podemos vivir en santidad a través del legalismo, esto es, obedeciendo un conjunto de reglas ("la ley"). Podemos tomar las cosas buenas, los instrumentos y recursos de las disciplinas espirituales y atarnos a un sistema de obras y de respetar la ley. Sin embargo, tal como instruyó Pablo a los creyentes gálatas, nosotros no perseguimos las disciplinas espirituales y crecemos en santidad por nuestros propios esfuerzos, sino por la facultad de la gracia de Dios.

¿Somos cumplidores de la ley o de la gracia? Esta es una pregunta bien dirigida, porque a la larga, es la *gracia* la que produce la motivación de un vivir en santidad. El pasaje central en Gálatas que habla de este tema se encuentra al final del segundo capítulo:

> *Con Cristo he sido crucificado, y ya no soy yo el que vive, sino que Cristo vive en mí; y la vida que ahora vivo en la carne, la vivo por fe en el Hijo de Dios, el cual me amó y se entregó a sí mismo por mí. No hago nula la gracia de Dios, porque si la justicia viene por medio de la ley, entonces Cristo murió en vano.*
>
> Gálatas 2:20-21

Este pasaje nos enseña cuatro verdades motivadoras acerca de la gracia.

1. *La posición que tenemos en Cristo.* El concepto del versículo 20, que "con Cristo he sido crucificado", es extremadamente importante que lo comprendamos. En el original griego en el cual el Nuevo Testamento fue escrito, esta frase está expresada en el modo perfecto, significando algo que ocurrió en el pasado y continúa teniendo efectividad en el presente. Cuando nos referimos a cosas en el pasado en inglés, solamente significa que pasó hace tiempo. Pero el tiempo perfecto en griego señala el hecho que *hemos* sido crucificados con Cristo antes, en la cruz, y *aún estamos*, exactamente ahora, crucificados con Cristo. Nada ha cambiado.

La frase "crucificados con" es utilizada en otra parte del Nuevo Testamento para referirse a los ladrones que fueron colgados juntos con Jesús. ¡Qué hermosa ilustración, porque posicionalmente, a los ojos de Dios, nosotros estábamos allí en la cruz de Cristo igual que esos ladrones! Nosotros hemos sido crucificados, en algún momento, juntos con Cristo. Cuando Él murió en la cruz, todos nosotros morimos con Él. Su muerte ya ha sido consumada para todos nosotros. Necesitamos creer que esta es nuestra posición ante Dios.

En el libro de los Romanos, Pablo lo expresa de otra manera: "sabiendo esto, que nuestro viejo hombre fue crucificado con Él, para que nuestro cuerpo de pecado fuera destruido, a fin de que ya no seamos esclavos del pecado; porque el que ha muerto, ha sido libertado del pecado" (Romanos 6:6-7 BdlA).

Somos liberados del pecado. *Liberados* significa estar justificados, declarados justos. Pablo dijo que a partir de nuestra muerte, nunca más seremos esclavos del pecado. Hemos sido liberados de su poder. Ya no tiene poder sobre nuestras vidas. ¿Usted lo cree? Es verdad, usted lo sabe. La posición que debemos adoptar para comprenderlo es que hemos sido crucificados con Cristo.

2. *La presencia de Cristo en nosotros.* No solamente hemos sido crucificados con Cristo, sino que también debemos reconocer que hemos *resucitado* con Él. La Biblia enseña en Gálatas 2:20. Que hay una nueva vida en "*Cristo vive en mí*".

Algunas veces comienzo mi día con una oración: Señor, ayúdame a recordar hoy que hay una nueva vida en mí. No es la vida anterior, insignificante, sino la verdadera vida de Dios en mí. Haz que me dé cuenta hoy de esta verdad".

Aún esta vida puede estar forzada a permanecer dormida si vivimos con nuestras propias fuerzas, sin permitir que el poder de Dios trabaje en nosotros. Y haciendo esto, pecamos contra la verdad que Dios nos pide que creamos, que Cristo vive en nosotros.

¿Usted cree que Jesús está vivo en usted en este mismo momento? Las disciplinas espirituales fluirán suavemente en su vida si usted vive consciente de la presencia de Cristo en su vida diaria.

3. *El modelo de la fe.* Pablo también hablaba acerca de "la vida que yo ahora vivo". ¿Cómo debe vivirse? Por medio de la fe, confiando en el Hijo de Dios, el cual nos amó y se ofrendó por nosotros. Nosotros no vivimos nuestras vidas ahora (tiempo presente) por nuestras obras, por obedecer la ley, por las ocupaciones o por las "actividades" cristianas. Nosotros vivimos esta vida por fe en el Hijo de Dios.

Me gusta pensar de los modelos de la fe en esta forma: Primero, es una respuesta al increíble regalo de amor que Dios nos dio cuando envió a Cristo para que se convirtiese en nuestro Salvador. La demostración más significativa de este amor ha sido en la cruz, en donde todo ha sido consumado y terminado para nosotros.

Segundo, la fe es recibir la verdad. Debemos recibirla, para poder hacer nuestro modelo en nuestras vidas. Debemos vivir en la gloria del hecho que el Hijo de Dios dio su vida por nosotros, pagando la pena que merecíamos por nuestros pecados.

4. *El problema que enfrentamos*. Pablo enseñó en Gálatas 2:21 "No hago nula la gracia de Dios, porque si la justicia viene por medio de la ley, entonces Cristo murió en vano". La frase "murió en vano" significa "murió sin motivo". ¡Pero Pablo dijo que la muerte de Cristo *no* fue sin motivo, porque fue por nosotros! Si su vida y su rectitud podrían ser producidas por nuestras obras, es entonces que deberíamos llegar a la conclusión que Él murió por nada.

Jesús murió para darnos su justicia y librarnos de la atadura de la ley.Cuanto más creamos esto, más real se hará en nuestras vidas. Es de importancia vital, cuando nos embarcamos en una discusión respecto a las disciplinas espirituales, tener esta verdad clavada en nosotros. No podemos realizar las cosas que Dios nos pide generándolas de nuestra propia carne. Es tiempo que confiemos en el poder de Dios.

Es triste ver todas estas personas alrededor nuestro desempeñando el papel del buen cristiano. Dios está diciendo: "¡Hombres, relájense. Deténganse. En vez de vuestros actos, solamente recuerden que yo ya lo hice todo en la cruz. No sigan tratando de probar por vosotros mismos!"

Vaya a la Biblia. Léala y medite acerca de ella hasta que usted se llene de excitación y gozo por todo lo que el Señor ha logrado para usted. Luego confíe, descanse en su verdad. Hemos sido crucificados con Cristo. No estamos encadenados a la ley, con su correspondiente atadura y culpa. Hemos sido liberados en Jesucristo.

LA IMPORTANCIA DE LA RESPONSABILIDAD

Uno de los secretos del constante crecimiento espiritual es comprender que Dios nunca tuvo la intención de que lo hiciéramos todo por nosotros mismos. Podemos encontrar estímulos a través de las vidas de nuestros compañeros de viaje. Los hombres de nuestro círculo de influencias, en una relación de apoyo mutuo, pueden ayudarnos a movernos hacia nuestras metas espirituales.

Este principio de responsabilidad mutua es un elemento tan vital en nuestro éxito que le he dedicado un capítulo entero en el libro más adelante. Por ahora, es suficiente decir que un hombre necesita a alguien, o a un grupo de personas, para que lo apoyen, lo alienten, lo desafíen, lo corrijan y lo ayuden a mantener su curso.

CAPÍTULO DOS

¿QUÉ HAY PARA MÍ?

Hemos visto que es la pasión por Dios lo que alimenta nuestro deseo de perseguir la santidad, y que nuestra persecución es a través de la gracia de Dios. Seamos ahora prácticos. Puede que suene un poco egoísta, pero sigue siendo válido preguntar acerca de las disciplinas espirituales "¿qué hay para mí? ¿Por qué *debería* ir en busca de la santidad?"

El apóstol Pablo escribió:

> *Pero nada tengas que ver con las fábulas profanas propias de viejas. Más bien disciplínate a ti mismo para la piedad; porque el ejercicio físico aprovecha poco, pero la piedad es provechosa para todo, pues tiene promesa para la vida presente y también para la futura.*
>
> I Timoteo 4:7-8

Yo no entiendo a mucha gente que se brinda a algo sin conocer sus beneficios. Después de todo, ¿no es esa la premisa básica para todas las técnicas de publicidad y de ventas? En la actualidad, a veces vuestros hijos están absolutamente convencidos por algún locutor de televisión generosamente pago, que sus vidas no valen la pena ser vividas si no poseen algo así como el más nuevo par de zapatos deportivos, ¡los cuales cuestan ciento cincuenta dólares! Ellos los necesitan para correr más rápido, saltar más alto y sentirse mejores. Están convencidos que los beneficios sobrepasan lejos el precio pagado. ¿La respuesta de papá? ¡Pásenlas por alto o consíganse un trabajo! Nos asombramos cuán fácil son influenciados nuestros hijos.

Pero no sea tan presumido. Cuando muestran los anuncios de herramientas o de automóviles o el último modelo de afeitadora que producirá el desmayo de las mujeres, será nuestro turno para responder. ¡Papás, despierten! nosotros también estamos motivados por "los beneficios", ya sean reales o imaginarios. Por esto quiero que veamos los *verdaderos* beneficios de la santidad y la madurez espiritual. No la falsa publicidad. Como diría Joe Friday en el viejo espectáculo llamado *Dragnet*: "sólo los hechos"

LOS BENEFICIOS DE LAS DISCIPLINAS ESPIRITUALES

Mirando los beneficios de estar involucrado en disciplinas espirituales, nos damos cuenta que esta lista de ningún modo es excluyente. Pero debería ser de estímulo para pensar en la dirección correcta.

La vida abundante

Jesús dijo:"yo he venido para que tengan vida, y para que la tengan en abundancia" (Juan 10:10b). Esta promesa para sus seguidores es más que un trillado cliché. Él nunca tuvo la intención que nosotros lucháramos solos, con la esperanza de llegar un día a la gloria y *entonces* experimentar la plenitud de la vida. ¡No! nos prometió que la vida abundante es el anticipo de la gloria *aquí y ahora*.

El fruto del espíritu

> *Mas el fruto del Espíritu es amor, gozo, paz, paciencia, benignidad, bondad, fidelidad, mansedumbre, dominio propio; contra tales cosas no hay ley.*
>
> Gálatas 5:22-23

Tales frutos son una evidencia de una vida bajo el control y la perspectiva de Dios. El apóstol Pablo estaba en condiciones de regocijarse por ello hasta en la prisión. Nuestras circunstancias no determinan nuestro exterior, sino más bien nuestra perspectiva. ¿Puede imaginarse usted a una persona en la prisión (Pablo, escribiendo a los gálatas) diciéndole a las personas en el exterior que sean luz?

Cuando estaba creciendo, mis hermanos y yo teníamos diariamente tareas que cumplir Yo podía hacer la mayoría de ellas, pero una tarea en particular me molestaba. Yo quería hacer cualquier cosa por escaparme de ella: *lavar los platos*. Mi mamá y mi papá se aseguraban que yo había terminado con la tarea y la había realizado correctamente, pero a mí no me gustaba y la rechazaba en todo momento.

No estoy seguro por qué esta tarea me había resultado siempre tan desagradable, pero desde ese día yo odio lavar los platos. Sin embargo, ahora estoy casado. Y en ocasiones (note que no digo "regularmente") ayudo a Susana, mi esposa, a lavar los platos.

Entonces, ¿cuál es la diferencia? ¿Por qué lavo los platos con más voluntad ahora?

La perspectiva.

La escena es diferente (mi esposa comparada con mi madre). ¡La recompensa es diferente también!

Las circunstancias no han cambiado. Los platos siguen siendo sucios y viscosos.

Pero mi perspectiva ha cambiado. Una vida vivida bajo el control del Espíritu Santo me da la perspectiva entre una variedad de circunstancias.

Las prometidas bendiciones de Dios

La obediencia siempre trae bendiciones. Es un principio básico de la vida que está hondamente enraizada en las Escrituras. Consideremos algunos ejemplos.

> *Israel fue aconsejada: Escucha, pues, oh Israel, y cuida de hacerlo, para que te vaya bien y te multipliques en gran manera, en una tierra que mana leche y miel, tal como el SEÑOR, el Dios de tus padres, te ha prometido.*
>
> Deuteronomio 6:3

Vemos otro ejemplo en el Antiguo Testamento, cuando el profeta Samuel se enfrenta y aconseja al egoísta rey Saúl: Y Samuel dijo: "¿Se complace el Señor tanto en holocaustos y sacrificios como en la obediencia a la voz del Señor? He aquí, el obedecer es mejor que un sacrificio, y el prestar atención, que la grosura de los carneros (ISamuel 15:22).

Abram, que se convirtió en Abraham, nunca se hubiese convertido en el padre de una gran nación si no hubiese entendido esta bendición: Por la fe Abraham, al ser llamado, obedeció, saliendo para un lugar que había de recibir como herencia; y salió sin saber adónde iba (Hebreos 11:8).

La consistencia en la vida

¡La estabilidad! No puedo pensar en algo peor que estar en un pequeño bote en la mar con altas olas. Sin embargo, la vida no debería sentirse así. Noé fue un ejemplo maravilloso de un hombre que no permitió que la vida lo abrumase. En momentos de una gran maldad en la tierra, él permaneció constante en su devoción a Dios, trabajando ciento veinte años en la construcción de un arca de acuerdo a lo ordenado por Dios.

¿O qué hay con respecto al salmista en el Salmo 1? Su imagen de un árbol plantado junto a fuentes que lo alimenten para que sus raíces puedan hundirse profundamente y resistir las tormentas de la vida, pinta maravillosamente el cuadro de la consistencia.

Integridad

La integridad significa que lo que se muestra en el exterior es un reflejo del interior; es la verdadera substancia de un hombre.Daniel ilustra bellamente esta cualidad. Cuando se promulgó la orden que únicamente se permitía a las personas orar en el nombre de Darío, el rey de Babilonia, en Daniel 6, Daniel se dirigió a su aposento superior, donde las ventanas estaban abiertas, cayó de rodillas y oró al Dios del cielo tres veces por día, "como lo solía hacer antes".

Aquí no había falsa ostentación sino simplemente el vivir de acuerdo con lo que había en el interior. Es interesante notar que no se ha dicho nada negativo acerca de él en las Escrituras.

La relaciones más profundas

Cuando vamos en pos de las disciplinas espirituales, también podemos gozar de relaciones más profundas con Dios y con la familia, los amigos y los compañeros de trabajo. La intimidad que el rey David tenía con Dios se observa en muchos de los salmos que escribió y en el hecho que se ha escrito más de él en las Escrituras que respecto a ningún otro, aparte de Jesús. En un par de ocasiones, Dios incluso lo llamó un hombre de acuerdo a su corazón.

Pensamientos más fuertes

La Biblia, por intermedio del apóstol Pablo, nos llama a "poner en cautiverio" cada pensamiento para la gloria de Cristo: "destruyendo especulaciones y todo razonamiento altivo que se levanta contra el conocimiento de Dios, y poniendo todo pensamiento en cautiverio a la obediencia de Cristo" (II Corintios 10:5).

La mayoría de los hombres cristianos que yo conozco no enfrentan serias luchas acerca de lo que *hacen* en sus vidas.

Ya sea por la presión positiva de sus compañeros o por el temor a las consecuencias del pecado, ellos controlan sus actos la mayoría del tiempo. Pero estos mismos hombres le dirán que controlar sus *pensamientos* es un tema totalmente distinto.

En una ocasión hablé en una conferencia en el oeste de los Estados Unidos donde estaba invitado a dirigir un tiempo de oración. "Hombres", dije, "si ustedes tienen algo sobre lo cual necesitan tratar y confesar públicamente, deseo que se sientan libres de hacerlo, así. Oraremos por ustedes y por cualquier otro con la misma necesidad".

No había terminado de anunciarlo cuando observé que un hombre se puso de pie para hacer una confesión: "Yo tengo un problema con la pornografía".

Miré en torno para observar la reacción de los otros hombres. En vez de un mar de rostros asombrados, vi muchos hombres bajando sus cabezas, mirando penosamente al piso.

"De todos modos, ya no compro nada de eso, continuó el hombre. En realidad, yo no he comprado nada de eso desde que estaba en el colegio hace años. Pero mis pensamientos me controlan, y yo no los puedo controlar, es sólo cuestión de tiempo antes que esto domine mis actos. Quiero estar limpio, y ser fuerte desde mi interior hacia fuera. No quiero remendar mi exterior para que nadie pueda pensar que tengo un problema. Necesito hacer más que eso. Necesito ayuda".

Luego que terminó, se levantaron un número de hombres para confesar la misma lucha. Fue uno de los encuentros de oración más grandes a los que yo haya asistido. Y cuando desarrollemos el corazón de un hombre de Dios, nos capacitará Dios para mantener cautivos nuestros pensamientos.

Otro par de versículos para considerar este tema se encuentran en Filipenses:

> *Y la paz de Dios, que sobrepasa todo entendimiento, guardará vuestros corazones y vuestras mentes en Cristo Jesús. Por lo demás, hermanos, todo lo que es verdadero, todo lo digno, todo lo justo, todo lo puro, todo lo amable,*

todo lo honorable, si hay alguna virtud o algo que merece elogio, en esto meditad.

Filipenses 4:7-8

Mejorando la vida de negocios

Ir en busca de las disciplinas espirituales puede mejorar asimismo nuestra vida de negocios. Con esto quiero decir que pueden darnos una brújula moral que nos permite navegar las traicioneras aguas que se presentan tan frecuentemente en situaciones de negocios.

Hace pocos años fue presentado un hombre de negocios que recientemente había aceptado al Señor Jesucristo. En uno de nuestros posteriores encuentros me preguntó lo que la Biblia tenía que decir respecto a los negocios. Le di varios pasajes que hablaban de la honestidad, ética y rectitud para que los leyese luego. También me ofrecí para relacionarlo con un par de hombres de negocios que yo conocía en la zona.

Cuando mencioné sus nombres, me di cuenta que su rostro adquirió una expresión extraña.

—Glen, no te molestes —me dijo, pareciendo disgustado.

—¿Por qué? —le pregunté.

—Bueno, aun antes de conocer a Cristo, yo era honesto en mis negocios. Mi palabra era la verdad. Nunca quebré una promesa. Traté de ser honesto con mis empleados. Pero debo decirte, Glenn, he tenido tratos con las personas que mencionaste recién, y no veo cristiandad en sus manejos de negocios. Lamento decir eso pero es la verdad.

Estas eran palabras fuertes que me decían que estos hombres no habían crecido espiritualmente. Cuando nos acercamos más a Cristo, no significa esto que desde ahora todo va a salir perfecto, que nunca perderemos un empleo, nuestros jefes siempre nos apreciaran, que nuestras empresas serán siempre provechosas, y así en más. Pero sabremos lo que estamos haciendo y por qué lo estamos haciendo. Tendremos la brújula moral necesaria para navegar en un mundo lleno de una variedad de obstáculos.

El carácter

Las disciplinas pueden producir también el carácter. Carácter significa muchas cosas, pero una cosa incluida en su definición es que pueden confiar en nosotros.

Varias años atrás, mi familia me acompañó a una reunión de los Cumplidores de Promesas que se efectuaba en el Georgia Dome de Atlanta. Mi esposa estaba reunida con las familias del personal, en la parte superior mientras que yo estaba ocupado en reuniones. Justin, mi hijo, estaba afuera explorando con otros chicos el estadio.

Mas o menos en la mitad de la conferencia, un muchacho corrió hacia mi esposa para darle una noticia. " Señora Wagner, Justin está vendiendo Coca Cola en uno de los puestos!"

Dado que Justin tenía solamente once años, Susana decidió que debería ir a controlar eso. ¡Efectivamente, ella descubrió a su hijo trabajando en un puesto de venta al público. Una larga fila de hombres estaba esperando ser atendidos por Justin. Él tomaba sus tres dólares, les entregaba una Coca Cola y se dirigía a la persona siguiente de la fila. El dinero iba a una caja detrás del mostrador y para todos los que lo observaban, Justin parecía un profesional.

Susana encontró cerca a un agente de seguridad.

—Discúlpeme, señor —le dijo.

—¿Este puesto es del estadio o de los Cumplidores de Promesas?

—Del estadio, señora —le contestó él.

—¿Usted cree que necesiten que un muchacho de once años esté trabajando allí? —le preguntó calmadamente.

—Creo que debo ir a controlar eso le respondió.

No pasó mucho tiempo antes que el puesto fuese clausurado, con gran disgusto de los hombres que se fueron sin sus Coca Colas. Ellos le silbaron al guardia pero aplaudieron a Justin cuando salió del puesto, agradeciéndole por sus servicios.

Justin sonrió y dijo:

—¡Esto estuvo fantástico, mamá!

—Bueno, me alegro de escucharlo —le contestó seria—. A propósito, estás en penitencia hasta que cumplas los treinta.

El día siguiente, mientras aún seguíamos en el Georgia Dome, el guardia de seguridad nos encontró a Susana y a mí.

—La gerencia del estadio me dio un mensaje para ustedes acerca de su hijo.

Tragamos fuerte.

—Ellos me pidieron que les haga llegar su elogio por las cualidades de empresario de su hijo —continuó—. ¡También desean que ustedes sepan que contaron el número de copas vendidas y el total del dinero que había en la caja y todo concuerda perfectamente! —Ahora sonreímos orgullosamente.

—La gerencia me pidió que les dijese que nunca habían visto antes a un muchacho tan joven con semejante carácter.

—¿Usted quiso decir que mi hijo es un tipo extraño?—le pregunté.

—No, yo dije que su hijo poseía *carácter* —me aclaró.

¡Nos sentimos tan orgullosos! Pero ahora estábamos en un dilema. ¡Mamá lo había puesto en penitencia y la gerencia del estadio quería recompensarlo! Me senté con Justin y le expliqué que no debía haber saltado tan rápidamente detrás del puesto sin saber antes a quién pertenecía. En cuanto este hecho estuvo claro, lo felicité, diciéndole cuán orgullosos estábamos su madre y yo respecto a su carácter. Él demostró un deseo de ayudar y que se podía confiar en que él iba a hacer lo correcto.

Esto es lo que deseo para su vida. Es lo que deseo para mi vida también.

SIN LAMENTOS

Durante mi crecimiento me involucré en los deportes, como la mayoría de los muchachos. Aún puedo recordar la tan usada frase:"recuerden, no es si ganan o pierden lo que cuenta, sino cómo juegan el juego". Nunca creí verdaderamente en esta declaración. Ni que los entrenadores creyesen en ella; era solamente una forma de dar ánimo a un grupo luego del disgusto por haber perdido. Ni lo creían tampoco los padres. Ellos apoyaban la filosofía de Vince Lombardi: "ganar no es cualquier cosa, es la única cosa".

El deseo de ganar y tener éxito parece estar profundamente arraigado en nuestro interior. Perder es duro. Es doloroso. Da vergüenza.

En mi último año de secundaria, nuestro equipo de fútbol jugó contra un equipo de un colegio mucho más grande. Tenían para elegir una cantidad de estudiantes mucho mayor y nosotros sabíamos, al ir al encuentro, que estábamos vencidos.Tenían a uno o dos muchachos para reemplazar cada puesto, mientras que muchos de los nuestros debían jugar de las dos maneras. Estábamos superados en tamaño, entrenador, uniforme y estímulo con respecto a la masiva muchedumbre de sus fanáticos.

Al llegar al medio tiempo, ya estábamos sin esperanzas muy superados en el puntaje.

Estábamos sentados en los vestuarios, magullados, sangrientos, quebrados y lamentando el hecho de tener que jugar aún la otra mitad del encuentro. Nuestros muchachos caían como moscas, necesitando que algunos de nosotros jugásemos en posiciones que nunca habíamos jugado antes. Cuando entró el entrenador para darnos sus palabras de aliento, yo no pude más que preguntarme qué clase de arenga triunfadora iba a sacar de su bolsa de trucos. Ciertamente necesitábamos nosotros algo que nos motivase.

Eligió un discurso que yo ya había oído antes. Sin embargo, esta vez hizo efecto en mí.

"Muchachos, cuando ustedes abandonen el campo al final del cuarto tiempo, les pido que sean capaces de irse sin lamentaciones. Den todo de sí, sin tener en cuenta la puntuación. Yo les pido que sean capaces de irse con vuestro orgullo intacto. Ganadores son aquellos que dan lo mejor de sí mismos. Ahora salgamos y hagámoslo"

Abandoné el vestuario meneando la cabeza. Pensé: *¿Ser un ganador dando lo mejor de mí?¿Abandonar el campo con* *orgullo? ¡Yo solamente quería irme del campo de juegos por mis propios medios, en vez de irme en camilla.*

Pero mientras iba al campo, no podía sacar de mi cabeza las palabras "sin lamentaciones". Desde ese día he pensado muchas veces en esa frase. (Como usted puede ver, no tengo la intención de contarle cómo terminó el partido de fútbol.)

¿Para qué estoy jugando el juego de la vida? ¿Para *quién* lo estoy jugando? ¿Qué significa ser un ganador? Si Dios me concede unos momentos lúcidos al final de mi vida, ¿seré capaz de mirar hacia atrás con un sentimiento de satisfacción? Yo no digo que nunca eché a perder algo. No estoy diciendo que nunca me sacaron del campo de juegos, o que nunca he cometido errores estúpidos.

No estoy pidiendo una vida perfecta. ¿Pero qué me dicen de una vida sin lamentaciones?

Varios años atrás, estaba hospitalizado por algo que terminó siendo de poca importancia. Pero por algunos momentos, no estábamos seguros de lo que estaba sucediendo. Aún puedo recordar a Susana trayendo a Haven, nuestra hija y a Justin, nuestro hijo, a la habitación para visitarme. Justin solamente contaba en ese entonces con diez años y la vista de su padre conectado por cables a los monitores y con tubos saliendo de todas partes fue demasiado para él. Miró a su madre, preguntando: "¿Mamá, papá se va a morir?"

Mientras ella le aseguraba que yo estaba bien, sus palabras penetraron profundamente en mi alma. Aun con toda el medicamento que me daban, yo estaba despierto la mayor parte de la noche, reflexionando sobre su comentario.

¿Qué pasaría si muriese?, pensé. *¿Cómo sería recordado? ¿Cómo sería elogiado*?

Seguí pensando, *¿me recordarían por los libros que escribí y los lugares por los que viajé por mi ministerio? ¿Hablarían de las personas a las cuales prediqué? ¿Sería capaz mi mujer de ponerse de pie y decir que, igual que el apóstol Pablo, he peleado la buena batalla, he guardado la fe*? (ver II Timoteo 4:7-8).

Varias cosas se destacan cuando pienso en las palabras de Pablo. Primero, Pablo sabía que había peleado la buena batalla. Quizás no *toda* batalla se ganó, pero sí las más importantes. él era capaz de reconocer aquellas peleas que tuvieron significado eterno, y aquellas fueron las que se pelearon duramente por Cristo.

Segundo, Pablo *terminó* su carrera. Es fácil comenzar una larga carrera pero difícil es terminarla. Tengo un amigo que de cuando en cuando me recuerda: "Glenn, corre la carrera". Cuando dice esto, él quiere decir que es mi responsabilidad correr la carrera *correcta*. He escuchado historias increíbles de corredores de maratón que se enamoraban tanto de las multitudes que los vitoreaban que entraban en una vuelta equivocada y eran descalificados.

El mundo y hasta la iglesia están llenos de entusiastas admiradores diciéndonos por cuál senda correr y en qué carrera participar. Necesito saber cómo discernir la *mejor*-buena opinión de las que poseo, persiguiéndola todo el tiempo hasta la meta final.

Tercero, Pablo guardó la fe. No permitió que las distracciones de los juicios y de las cambiantes circunstancias alterasen su curso.

Esa noche en la que estaba sentado despierto en mi cama del hospital, concluí que aquellas eran las marcas de una vida bien vivida. Usted lo puede llamar una vida exitosa o ser un ganador o vivir una vida significativa; para mí el nombre no importa mucho.

Lo que importa es que llego al final de mi vida sabiendo que:

Peleé las batallas correctas.
Terminé la carrera correcta.
Guardé la verdadera fe.

La corona es la recompensa para los que terminaron una vida bien vivida. Ellos tratan de lograr la perspectiva de Dios más que la de los hombres.

Al buscar nosotros definir el desarrollo del corazón de un hombre de Dios, mi deseo es tener a Dios mirando hacia abajo, poniendo sus brazos a mi alrededor y decir como dijo a David siglos atrás:

"Glenn, eres un hombre de acuerdo a mi corazón."

Esto será el éxito. No habrá lamentaciones. Esta es la clase de vida que tiene un impacto positivo en el mundo, que deja un legado a mi familia, a mi iglesia y a mi comunidad.

Hay muchos beneficios yendo tras una vida de santidad. Al ir al estudio de las disciplinas individuales, puede que Dios se complazca en concedernos el deseo de nuestros corazones... un corazón que sea santo.

CAPÍTULO TRES

UN CORAZÓN PARA LA BIBLIA

En su libro *Spiritual Intimacy*. Richard Mayhue enciende nuestra imaginación pidiéndonos que finjamos que un ejemplar de la Biblia haya mantenido un diario de su actividad de todo el año. Algunas de sus anotaciones serían como las que siguen:

Enero 15:	Estuve descansando una semana. Algunas noches después del primero de enero, mi dueño me abrió, pero no mucho. Otra resolución de Año Nuevo que fracasó.
Febrero 3:	Mi dueño me tomó y me llevó a la escuela dominical.
Febrero 23:	Día de limpieza. Me sacudieron el polvo y me volvieron a mi lugar.
Abril 2:	Un día ocupado. Mi dueño tiene que dar una lección en la reunión de la sociedad de la iglesia. Rápidamente miró a una cantidad de referencias.

Mayo 5:	Otra vez en el regazo de abuela, un lugar cómodo.
Mayo 9:	Ella dejó caer una lágrima en Juan 14:1-3.
Mayo 10:	La abuela se fue. Volví a mi lugar de siempre.
Mayo 20:	Nació el bebé. Escribieron su nombre en una de mis páginas.
Julio 5:	Me pusieron en una maleta, salgo de vacaciones.
Julio20:	Sigo en la maleta. Casi todo lo demás fue sacado.
Julio 25:	En casa nuevamente. Largo viaje, aunque no pude saber por qué fui.
Agosto 16:	Limpiada de nuevo y puesta en un lugar destacado. El ministro vendrá a cenar.
Agosto 20:	Mi dueño anotó la muerte de la abuela en el registro de la familia. Dejó sus anteojos de repuesto entre mis páginas.
Diciembre 31:	Mi dueño acaba de encontrar sus anteojos. Me pregunto si tomará alguna determinación de Año Nuevo respecto a mí.[1]

¿Cómo está el diario de esta Biblia comparado con el que pudiese haber mantenido la suya el año pasado? Muchos de nosotros los hombres cristianos tenemos toneladas de buenas intenciones cuando se habla de leer la Biblia, pero por un sinnúmero de razones, no podemos realizarlo consistentemente. No digo esto para provocar sentimientos de culpa. Solamente admito que hay una gran cantidad de nosotros con luchas idénticas.

UN CORAZÓN PARA LA BIBLIA: ¿POR QUÉ?

¿Usted ama la Palabra de Dios? Deberíamos pensar que todo cristiano respondería afirmativamente. La Biblia es nuestra vida, nuestra fuerza, nuestro gozo.

Sin embargo las estadísticas señalan que solamente cerca de diez por ciento de los cristianos leen su Biblia todos los días. La mayoría cae en la categoría "de vez en cuando", mientras que otros solamente la hojean cuando el pastor predica el domingo en la mañana o cuando enfrentan crisis importantes.

Una buena pregunta es entonces, ¿por qué deberíamos amar las Escrituras? El rey David tocó este tema en algunos de los comentarios que escribió en el Salmo 119:

> *Venga también a mí tu misericordia, oh Señor, tu salvación, conforme a tu palabra y tendré respuesta para el que me afrenta, pues confío en tu palabra. No quites jamás de mi boca la palabra de verdad, porque yo espero en tus ordenanzas. Y guardaré continuamente tu ley, para siempre y eternamente. Y andaré en libertad, porque busco tus preceptos. Hablaré también de tus testimonios delante de reyes, y no me avergonzaré. Y me deleitaré en tus mandamientos, los cuales amo. Levantaré mis manos a tus mandamientos, los cuales amo, y meditaré en tus estatutos.*
>
> Salmo 119:41-48

Si usted es como yo, sus ojos están posados en esta frase de este poderoso texto: "Y me deleitaré en tus mandamientos, los cuales amo". ¿Cómo puede utilizar él términos tan íntimos? El texto ofrece algunas razones de por qué deberíamos amar todos la Palabra de Dios, así como lo hizo David.

Proclama la misericordia de Dios y la salvación (Salmo 119:41)

De acuerdo con las Escrituras, la salvación proviene de la Palabra de Dios. Es la semilla incorruptible que vive y mora para siempre. Pero yo creo que el salmista fue más allá de la declaración debido a su referencia de "venga también a mi tu misericordia". Este es un tema común en la Biblia, como puede verse en otro salmo: "Clemente y compasivo es el Señor, lento para la ira y grande en misericordia". El Señor es bueno para con todos, y su compasión, sobre todas sus obras (Salmo 145: 8-9).

Todo el tiempo me encuentro con cristianos que ven a Dios como una deidad sentada en el cielo sosteniendo un bate de béisbol, listo para aporrearlos por cada falso movimiento que hagan. Sin embargo, vemos a través de la Biblia que Él es compasivo y bueno para todos.

Todos los días están llenos de la frescura de lo que Dios va a realizar. Él comprende quiénes somos y nos otorga la gracia más allá de lo que merecemos. Cualquier cosa que nos suceda en nuestras vidas, desde inodoros que rebalsan, a congestiones de tránsito o tarjetas de crédito sobre sus límites, todo nos recuerda que Dios es bueno. Al morar en ese pensamiento, Él frecuentemente nos apartará de meternos en mayores problemas. Qué motivo tan maravilloso para amar la Palabra de Dios, simplemente aprender más de su misericordia y salvación.

Provee respuestas para todo lo que nos afrenta (Salmo 119:42)

No es fácil responder a las preguntas que llenan el mundo de hoy. Pero la Biblia nos prepara y nos da las respuestas que necesitamos. David lo expresó de esta manera: "Y tendré respuesta para el que me afrenta, pues confío en tu palabra".

Cuando otros nos afrentan, se burlan de nosotros. Nos humillan debido a nuestra fe. Este versículo nos enseña que somos capaces de contestarles debido a nuestra fe en la Palabra de Dios. Este pasaje del Antiguo Testamento es algo grande igual que las palabras de Pedro en el Nuevo Testamento:

> *¿Y quién os podrá hacer daño si demostráis tener celo por lo bueno? Pero aun si sufrís por causa de la justicia, dichosos sois. Y NO OS AMEDRENTEIS POR TEMOR A ELLOS NI OS TURBEIS, sino santificad a Cristo como Señor en vuestros corazones, estando siempre preparados para presentar defensa ante todo el que os demande razón de la esperanza que hay en vosotros, pero hacedlo*

> *con mansedumbre y reverencia; teniendo buena conciencia, para que en aquello en que sois calumniados, sean avergonzados los que difaman vuestra buena conducta en Cristo. Pues es mejor padecer por hacer el bien, si así es la voluntad de Dios, que por hacer el mal*
>
> I Pedro 3:13-17

Nuestra comprensión del Libro de Dios nos preparará. Sin ella, todos estaremos solos afuera, sin las palabras adecuadas para tratar con los que necesitan respuestas. Su Palabra también nos dará la mansedumbre que necesitamos para responder con amor cuando otros nos tratan ásperamente o en forma vengativa.

Cuando todo marcha bien en la vida, tendemos a olvidarnos cuán importante es tener respuestas. A veces la entrada de una persona, que nos desgarra de uno y otro lado, haciendo volar nuestra cristiandad, es la que nos hace ver el valor de la Palabra y de las respuestas que ofrece.

Provee seguridad (Salmo 119:43)

La Palabra es verdad. Sin la misma, seríamos como un barco sin timón, empujado para atrás y para adelante con cada pequeño problema que apareciese. Nuestras circunstancias y las emociones que las acompañan pueden llenarnos de temores y dudas. Nuestra confianza debe estar en el Señor y su verdad.

He hablado con muchas personas que han perdido su esperanza y su confianza por un sinnúmero de razones. Todo esto me afligió, dado que sé que la Biblia tiene las respuestas que les ayudarían a restaurar su seguridad. Como usted puede ver, la seguridad del amor y de la obra de Dios en nuestras vidas no viene de nuestro desempeño, ¡viene de sus promesas! David dice en su versículo 43: "No quites jamás de mi boca la palabra de la verdad, porque yo espero en tus ordenanzas". Si usted es un verdadero creyente, cuando lea la Biblia, el Espíritu Santo que vive en usted (y que es el autor del Libro) lleva el testimonio a su espíritu que lo que está leyendo es la verdad. Si usted no es creyente, la Escritura puede parecer tonta, porque el hombre natural no puede discernir las cosas espirituales.

¡Qué triste es que algunos de nosotros tropezarán durante sus vidas cristianas, permitiendo que las circunstancias afecten nuestra confianza en el Señor, cuando poseemos un Libro que podemos leer para obtener la seguridad para nuestros corazones desanimados!

Promete libertad (Salmo 119:45)

Los cristianos más restringidos que yo conozco son aquellos que, o desconocen la Palabra de Dios o abusan de ella. Quizás ellos sigan las opiniones y tradiciones de los hombres, o quizás solamente quieren tener una buena charla, pero terminan siendo esclavos de sí mismos.

¡Sin embargo, las buenas nuevas son que la Palabra nos hace libres! El apóstol Pablo dijo a los corintios:

> *Ahora bien, el Señor es el Espíritu; y donde está el Espíritu del Señor, hay libertad. Pero nosotros todos, con el rostro descubierto, contemplando como en un espejo la gloria del Señor, estamos siendo transformados en la misma imagen de gloria en gloria, como por el Señor, el Espíritu.*
>
> II Corintios. 3:17-18

¿Dónde vemos la gloria de Dios? ¡En la Palabra!

Al ir transformándonos a su semejanza, uno de los resultados es la libertad. Esto me excita sobremanera. Cuanto más permitimos a la gloria de Dios saturar nuestras mentes y corazones a través de la lectura de la Palabra, más nos hace libres para ser todo aquello que Dios quiere que seamos. Además recibimos todo el gozo que siempre quisimos, la paz que queremos poseer y también el perdón de Dios.

Esto no se consigue poniéndonos un velo delante de nuestros rostros, lo cual según las palabras de Pablo simboliza acceso *indirecto* a Dios. Aun más, somos capaces de ir directamente a la Palabra para experimentar su gloriosa libertad.

Jesús dijo a la gente, en Juan 8:36, que la verdad los haría libres y que "si el Hijo os hace libres, seréis realmente libres". Dedicando tiempo a la Biblia, nos liberamos de los malos pensamientos, desánimo, de una vida llena de amargura y resentimientos, de actitudes y acciones equivocadas. Cuanto más conocemos la Palabra, más grande es la libertad que experimentamos.

Promueve la valentía (Salmo 119:46)

"Hablaré también de tus testimonios delante de reyes, y no me avergonzaré" Lo opuesto a la vergüenza es la valentía. No tenemos motivo para avergonzarnos acerca de nuestras creencias, debido a que el evangelio es el poder de Dios.

Cuanto más de la Biblia entra en nuestras vidas, más valentía poseemos. Seremos capaces de hablar con personas que nunca hubiésemos pensado antes que podríamos. ¡Este es un buen pensamiento para meditar antes de empezar nuestro trabajo el lunes por la mañana!.

Una vez más, consideremos las palabras del apóstol Pablo:

> *Porque no nos ha dado Dios espíritu de cobardía, sino de poder, de amor y de dominio propio. Por tanto, no te avergüences del testimonio de nuestro Señor, ni de mí, prisionero suyo, sino participa conmigo en las aflicciones por el evangelio, según el poder de Dios, quien nos ha salvado y nos ha llamado con un llamamiento santo, no según nuestras obras, sino según su propósito y según la gracia que nos fue dada en Cristo Jesús desde la eternidad, y que ahora ha sido manifestada por la aparición de nuestro Salvador Cristo Jesús, quien abolió la muerte y sacó a la luz la vida y la inmortalidad por medio del evangelio, para el cual yo fui constituido predicador,*

apóstol y maestro. Por lo cual también sufro estas cosas, pero no me avergüenzo; porque yo sé en quién he creído, y estoy convencido de que es poderoso para guardar mi depósito hasta aquel día.

II Timoteo 1:7-12

¿Esta declaración suena verdaderamente en su vida? ¿Puede decir usted, como Pablo, que no lo avergüenza el evangelio? Él dijo que estaba convencido, que sabía lo que Dios había dicho y confiaba en Él plenamente. La Palabra de Dios crea valentía.

Entonces, ¿cómo va una persona a estudiar su Biblia? Puedo pensar en por lo menos cinco formas prácticas de hacerlo. Veamos cada una de ellas por turno. Si usted es un experto en estas cosas, lea las secciones siguientes como si nunca hubiese estudiado antes la Palabra, y pídale al Señor el regalo de la novedad.

UN CORAZÓN PARA LEER LA BIBLIA

El aspecto más básico para dedicar tiempo a las Escrituras simplemente es leerlas. Esto es como leer una novela, una biografía o un libro de una librería cristiana. Es leer para educación, para ilustración y para deleitarse. Esta es la parte del viaje en el cual permitimos a Dios hablarnos tan suavemente a través de su Palabra.

Para muchos hombres, este tipo de lectura es la parte clave de la importante rutina diaria llamada un *tiempo tranquilo*.

Cuando leemos la Biblia escuchamos a Dios que nos habla. Por lo tanto es una idea maravillosa hacerlo constantemente. Ahora, la última cosa que quisiera hacer es esparcir en derredor sentimientos de culpa. Leer la Palabra es una buena manera de enfocar nuestros pensamientos en cosas espirituales, por lo tanto, cuanto más frecuentemente lo hacemos, mejor será. Si es una persona mañanera, pruebe comenzando cada día leyendo algunos minutos la Biblia. Pero si usted es como yo, temprano por la mañana no es su mejor momento, y no hay nada malo en leer la Palabra después de un par de tazas de café para comenzar el día, o aun de noche antes de retirarse. Algunas personas pasan su tiempo de almuerzo con el Señor, otros en su pausa de café en la tarde. Encuentre el tiempo del día que mejor le funcione y vaya por él.

Tampoco es el fin del mundo si no lee la Biblia todos los días. Conozco a personas que pararon *completamente* de leer las Escrituras porque habían omitido de hacerlo uno que otro día. Si usted sólo puede leer dos días a la semana la Palabra, está bien por ahora, ¡hágalo! Si usted es como yo, su programa varía de semana en semana y de mes en mes. Usted puede estar actualmente en un momento muy ocupado. Quizás en un mes o dos se abrirá para usted una ventana más grande de tiempo normal. Pero comience a leer hoy. Encontrará que cuanto más lea, más querrá leer cada día. Se transformará en su delicia.

No me malinterprete. Las necesidades de la vida están clamando tan alto que la lectura diaria debería ser nuestra meta. Pero comience desde donde está y marche hacia adelante. A veces los pequeños pasos son los mejores, sólo si vamos en la dirección correcta.

En términos de la lectura actual, muchas personas encuentran útil usar versiones más nuevas de las Escrituras. Las ventajas son muchas, pero he aquí solamente dos de ellas: usted lee la Palabra en una versión nueva, y la lee en un lenguaje relacionado cercanamente al que usamos todos los días. Yo uso una versión diferente de la Biblia cada año en mi programa de lectura. Mi meta es poder leer la Biblia en ese período de doce meses. Esto me da un gran resultado. La clave es encontrar qué resulta mejor para *usted*. Descubra su propia zona de comodidad en la lectura de la Palabra y entonces proceda.

UN CORAZÓN PARA ESCUCHAR UN SERMÓN

Un aspecto frecuentemente descuidado de dedicar su tiempo a la Palabra es escucharla proclamada por un pastor o maestro de Biblia. Como una sociedad orientada visualmente, a veces nos olvidamos que Dios puede actuar también a través del sistema auditivo. ¿Cuándo fue la última vez en que usó sus oídos para *escuchar* las palabras del Señor?

Existen muchas maneras de escuchar sermones. La más obvia es el ministerio semanal de su pastor local. ¿Está ganando usted discernimiento acerca de Dios y su Palabra mediante su atención a sus sermones? Escucho a muchos hombres quejarse del estilo "aburrido" de sus pastores, pero quizás el problema radica más en las expectativas de los hombres. Pruebe esto el próximo fin de semana: vaya a la iglesia, siéntese en el banco y pídale a Dios que le enseñe algo a través del servicio de adoración. Veamos si el Señor responderá a su simple y sincera oración.

Aparte de escuchar a su pastor, usted puede oír a buenos maestros de la Biblia en cintas magnetofónicas. Ahora es posible escuchar a los grandes predicadores de la actualidad lo mismo que a los de antaño. Además está toda la platea de pastores por radio.

Muchos de los predicadores en cinta o en el aire son expositores en su estilo, significando que ellos enseñan versículo por versículo a través de los libros de la Biblia. Esto puede ser muy útil en nuestro ocupado programa. Conozco a hombres que tienen treinta o cuarenta minutos de un tranquilo tiempo con Dios cada día laboral, escuchando a su maestro favorito en la radio o en cinta mientras va del trabajo a su casa y viceversa.

Otra sugerencia práctica es usar las Escrituras grabadas en cinta. Más que leer la Biblia, podemos escuchar mientras nos es leída. Esta es una novedosa manera de aproximarse a las Escrituras y otra buena herramienta para el hombre ocupado.

UN CORAZÓN PARA ESTUDIAR LA BIBLIA

Un paso más allá de leer la Palabra es estudiarla. Éste es un seguimiento más serio que nos conduce a una comprensión más llena y más profunda. Usted también encontrará que no hay nada parecido al gozo de un descubrimiento personal de la verdad bíblica.

Muchos libros excelentes bosquejan lo básico de una estudio personal de la Biblia. Pero reducido a su forma más simple, consiste en cuatro preguntas que un estudiante de la Biblia debería formularse ante cada texto que lea:

1. ¿Qué dice?

La simple observación es el fundamento del estudio de la Biblia, sin embargo es el aspecto que más fácilmente es pasado por alto. Tómese su tiempo en considerar y responder a esa pregunta.

2. ¿Qué significa?

Si observar es el fundamento, esta pregunta es la construcción del edificio. Responderle lo lleva a usted a ponerse en el lugar del escritor y reflexionar: "¿qué significado tuvo para el escritor?".

3.¿En qué forma concuerda con otros pasajes de las Escrituras?

Aquí es donde usted mira hacia el "vecindario" de su edificio, los versículos y pasajes relacionados. Es extremadamente importante que usted entienda el contexto del pasaje que está estudiando.

4. ¿Qué significa para mí?

Finalmente usted se muda dentro del edificio. Una regla práctica en el estudio personal de la Biblia es que hay una sola interpretación de un pasaje, pero que pueden haber varias aplicaciones. Su aplicación, sin embargo, deberá ser conforme con la interpretación.

El proceso de contestar estas cuatro preguntas se llama observación, interpretación, correlación y aplicación. Los cuatro pasos son necesarios. Si usted trata de interpretar los versículos antes que entienda lo que dicen, con frecuencia perderá las verdades más importantes. Igualmente, si usted observa e interpreta sin la correlación, pueda que tome a un versículo fuera de contexto, causando que diga algo que nunca hubo intención de decir. Y si usted hace todo el trabajo preliminar pero no aplica el pasaje a su vida, no permite que influya en su vida como Dios quiere. Para estudiar bien la Biblia, algunas herramientas son bastante útiles. Ellas incluyen:

- Un cuaderno de notas donde registre sus descubrimientos
- Una versión distinta a la que usa, para comparar
- Un diccionario en español
- Un diccionario bíblico
- Un manual bíblico
- Una enciclopedia bíblica
- Un atlas bíblico
- Una concordancia bíblica
- Un libro de introducción bíblica

Estas herramientas le ayudarán a conseguir una comprensión más completa de los versículos que está estudiando. Tenga cuidado en usar herramientas que contengan sana doctrina. Su pastor puede ayudarle en escoger títulos que sean lo mejor en cada categoría.

Con frecuencia oigo a hombres minimizar sus hábitos de estudio al minimizar sus intelectos. Esto es muy triste para mí. Me recuerda una historia que escuché relacionada con un joven estudiante de seminario que jugaba al baloncesto en una liga de la iglesia. Cada vez que jugaba en ese gimnasio de la iglesia, veía al guardián sentado en la esquina, leyendo, mirando como si estuviese esperando que todos se fueran para poder cerrar e irse a su casa.

Una noche la curiosidad del estudiante llegó hasta él.

—¿Qué está leyendo? —le preguntó.

—La Biblia —le contestó el viejo guardián, sin levantar la vista de lo que estaba leyendo.

El estudiante encontró intrigante la respuesta.

—¿Qué parte? —preguntó, con una sonrisa en su rostro.

—Apocalipsis —dijo el hombre en pocas palabras.

Sorprendido por su respuesta, el estudiante se mofó preguntando:

—¿Usted entiende un libro tan complejo?

—Sí —le contestó el guardián, manteniendo la mirada en las páginas de su Biblia. En este punto, el estudiante ya estaba fascinado.

—Bueno, dígame entonces, ¿qué nos enseña?

El guardián bajó su Biblia, miró al estudiante directamente a los ojos y le dio la respuesta definitiva en dos sílabas:

—Dios gana.

Igual que este estudiante de seminario todos debemos darnos cuenta que cada persona posee la capacidad de estudiar, aprender y comprender las Escrituras. El Espíritu Santo que vive en nosotros hace posible esto.

Para algunos de nosotros, es tiempo que tomemos en serio el estudio de la Palabra de Dios. Lo hemos pospuesto bastante tiempo. Hemos dado suficientes excusas. Reflexione acerca de las palabras de R.C. Sproul, quien pareciera que tuviese su dedo sobre el pulso de muchos de los hombres de la actualidad:

> He aquí, entonces, el verdadero problema de nuestra negligencia. Fallamos en nuestra obligación de estudiar la Palabra de Dios no tanto porque es difícil de comprender, no tanto porque es tonto y aburrido, sino porque es trabajo. Nuestro problema no es una falta de inteligencia o una falta de apasionamiento. Nuestro problema es que somos perezosos.[2]

UN CORAZÓN PARA MEMORIZAR LA BIBLIA

Una cuarta manera de dedicar el tiempo a la Palabra de Dios es memorizarla. El rey David dijo: "En mi corazón he atesorado tu palabra, para no pecar contra ti" (Salmo 119:11).

Memorizar las Escrituras suena doloroso y trabajoso para algunos, pero la verdad es que Dios honrará nuestros esfuerzos en recordar su Palabra. Incontables veces en mi propia vida y en las vidas de otros hombres, un pasaje de las Escrituras vino a mi mente en el momento adecuado, y haciéndolo así literalmente nos "rescató" de tomar una pobre decisión o ceder a una pecaminosa tentación. No, memorizarla no es un castigo, es un privilegio.

Un escritor describió de esta forma los beneficios a largo plazo de memorizar la Palabra de Dios: Una pertinente verdad escritural llevada a su conciencia por el Espíritu Santo exactamente en el momento preciso puede ser el arma que haga la diferencia en una batalla espiritual.[3]

Muchos hombres me dijeron que no pueden memorizar las Escrituras porque no tienen una buena memoria. Yo me doy cuenta que las capacidades varían, pero *cada hombre posee la capacidad de memorizar*. De hecho, puedo apostar que usted memorizó una gran cantidad de información corriente y pasada. Por ejemplo, estoy seguro que usted sabe las estadísticas de sus atletas y equipos deportivos favoritos. ¿Y qué me dice de las direcciones de su ciudad?

El problema no es tanto que carezcamos de la capacidad de memorizar las Escritutas si no mas bien en que no vemos siempre la necesidad de hacerlo. Nos comprometemos a memorizar aquellas cosas a las que damos valor.(¿Puede explicar esto que podamos olvidar el cumpleaños de nuestra esposa y la fecha de nuestro aniversario de bodas pero podemos recordar el promedio de bateo en la vida de Babe Ruth?).

Nunca me ayudó realmente el método de las tarjetas de fichero para memorizar versículos, aunque muchos hombres lo encontraron útil. Ellos simplemente escriben un versículo en una tarjeta y luego lo leen y lo leen hasta que finalmente se transforma en una parte de su memoria.

Para mí , la clave para memorizar vino con el descubrimiento que yo necesitaba memorizar versículos que me ayudasen en áreas de necesidades corrientes o que hablasen a un tema prioritario en mi vida. De esta manera los pasajes cobraban un significado especial. Memorizarlos tenía un propósito, no se trataba solamente de la motivación de un ejercicio pedante. Cuanto más aprendía, más quería aprender. ¡Mi mente se transformaba en una computadora!

Mi primera verdadera computadora usaba un disco removible que guardaba una cantidad relativamente pequeña de información. Entonces alguien me dio un disco duro de diez *megabytes* para instalarlo. ¡Pensé que estaba en el cielo debido a la cantidad de información que podía guardar ahora! Pero pronto aun el disco duro no podía guardar todo lo que yo necesitaba extraer en un momento dado.

Desde ese momento adquirí un disco duro más grande, luego una computadora más veloz, más poder y más espacio de disco duro. Eso es lo que hacía falta, ¡Más velocidad y más poder! Actualmente estoy más allá de megabytes a gigabytes. Puedo recobrar la información necesaria en una fracción de segundo y aplicarla en la situación en la que estoy trabajando.

El mismo principio actúa al memorizar las Escrituras. Cuando la Palabra se almacena en la mente, con su increíble poder, capacidad y velocidad, el Espíritu Santo puede operar nuestra "computadora". Con el "toque de una tecla", Él puede traer a la vanguardia de nuestras mentes la verdad necesaria en el mismo instante en el que surge esta necesidad.

Uno de mis maestros en la escuela bíblica acostumbra recordarnos con frecuencia la necesidad de memorizar la Biblia. "Recuerden", suplicaba suavemente, "lo que hay en la fuente es lo que se extrae con el cubo. Entonces, alumnos, ¿qué estan poniendo en la fuente de sus vidas?

Si siguiese enseñando hoy, seguramente actualizaría su aliento a sus alumnos de esta manera: "Recuerden, lo que hay en la computadora es lo que aparece en la pantalla o en la impresora. ¡Si ustedes introdujeron información sucia, deberán esperar recibir basura!"

UN CORAZÓN PARA LA MEDITACIÓN BÍBLICA

Una vez que la Palabra de Dios ha sido oída, estudiada, leída y memorizada, su verdad se enraizará en nuestras vidas a través de la meditación. La meditación cristiana no es el vaciar nuestras mentes o mirar fijamente las tostadoras voladoras de nuestra pantalla de computadora, sino más bien el pensar activa y constructivamente acerca de las verdades significativas de las Escrituras y cómo aplicarlas a las realidades de nuestra propia vida. Cuatro cosas están mencionadas en la Biblia como dignas de nuestra meditación:

- Las Escrituras (el objeto lejos más frecuentemente mencionado)
- La creación
- La providencia de Dios
- La persona de Dios y sus atributos

Debemos meditar en esto, que nos es revelado en o informado por la Palabra. La meditación es dedicar tiempo pensando profundamente lo que las Escrituras nos están diciendo en términos prácticos. Yo me río cuando la gente cree que la meditación es estar sentado en silencio en un jardín de rosas con las piernas cruzadas, respirando profundamente y zumbar una mantra mientras contempla su ombligo.

Donald Whitney tiene una comprensión mucho mejor del tipo de meditación:

> El verdadero éxito está reservado para aquellos que meditan en la Palabra de Dios, quienes piensan profundamente en las Escrituras, no solamente una vez por día sino en momentos durante el día y la noche. Ellos median tanto

que las Escrituras saturan su conversación. El fruto de su meditación es la acción. Ellos hacen lo que encuentran escrito en la Palabra de Dios y como resultado Dios prospera su camino y les concede el éxito...

La mayoría de la información, aun la bíblica, fluye a través de nuestras mentes como el agua por un colador. Generalmente hay tanta información que viene a nosotros diariamente y en forma tan veloz que retenemos muy poco. Pero cuando meditamos, la verdad permanece y se filtra. Podemos percibir su aroma más plenamente y gustarla mejor. A medida que se prepara en nuestro cerebro nos llega el discernimiento. El corazón de calienta por la meditación y la fría verdad se funde en acción apasionada.[4]

UN CORAZÓN PARA LA BIBLIA: UNA RESPUESTA APROPIADA

Volviendo a nuestro vistazo al Salmo 119, si verdaderamente amamos la Palabra de Dios, podemos esperar ver por lo menos tres respuestas diferentes fluyendo de nuestras vidas: la obediencia, el gozo y la confianza.

La obediencia

En el corazón del texto que hemos observado antes, encontramos esta declaración: "*Y guardaré* continuamente tu ley, para siempre y eternamente" (v. 44). El que ama la Palabra de Dios está dedicado a obedecerle. Este tema resuena a través de todo el salmo:

Tus estatutos guardaré; no me dejes en completo desamparo (v.8).

Favorece a tu siervo, para que viva y guarde tu palabra (v.17).

Enséñame, oh Señor, el camino de tus estatutos, y lo guardaré hasta el fin (v.33).

Por la noche me acuerdo de tu nombre, oh Señor, y guardo tu ley (v. 55).

Me apresuré y no me tardé en guardar tus mandamientos (v. 60).

Compañero soy de todos los que te temen, y de los que guardan tus preceptos (v. 63).

Los soberbios han forjado mentira contra mí, pero de todo corazón guardaré tus preceptos (v. 69).

Maravillosos son tus testimonios, por lo que los guarda mi alma (v. 129).

Los hombres que aman a Dios obedecerán a Dios. Y esto se evidenciará en la forma en que viven.

El gozo

En el primer salmo, se nos dice que los hombres de Dios se deleitarán en la Palabra día y noche, meditando en ella constantemente. El mismo tema es desarrollado en el Salmo 119:

Me deleitaré en tus estatutos, y no olvidaré tu palabra (v. 16).

También tus testimonios son mi deleite; ellos son mis consejeros (v. 24).

Su corazón está cubierto de grasa, pero yo me deleito en tu ley (v 70).

Venga a mí tu compasión, para que viva, porque tu ley es mi deleite (v. 77).

Por tanto, amo tus mandamientos más que el oro, sí, más que el oro fino (v. 127).

Los hombres que tienen un corazón para la Biblia se deleitan en ella. No hay nada más importante para ellos y como resultado les trae gran gozo.

La confianza

Amando la Palabra nos enseña a depender de lo que expresa: "*Levantaré mis manos a tus mandamientos, los cuales amo, y meditaré en tus estatutos*" (Salmo 119:48).

Levantar nuestras manos es un poderoso símbolo de completa dependencia del Señor. Ilustra a un hombre que confía en Dios con su vida. Las palmas están abiertas, no cerradas. Los dedos apuntan hacia arriba, indicando que todo lo que nos viene en la vida proviene del Señor. Cuanto más aprendo de Dios en la Palabra, más deseo confiar en Él.

¿Ama usted la Palabra de Dios? Si es así, demuestre ese amor cultivando esta disciplina espiritual de suma importancia que es el dedicarle tiempo.

J. I. Packer escribió con discernimiento acerca de una estrategia efectiva concerniente a nuestra relación con nuestra Biblia:

> *Si yo fuera el diablo, una de mis primeras metas sería detener a la gente a que cave en la Biblia. Sabiendo que es la Palabra de Dios, enseñando a los hombres a que conozcan, amen y sirvan al Dios de la Palabra. Debería hacer todo lo posible para cercarla con la equivalencia espiritual de hoyos, cercos de espinas y trampas de hombres, para asustar a la gente... A cualquier costo debería mantenerlos alejados de usar sus mentes en una forma disciplinada para recibir la medida de su mensaje.*[5]

¡Señalemos un camino para evitar estas trampas!

CAPÍTULO CUATRO

UN CORAZÓN PARA ORAR

Hubo un programa de televisión que jamás olvidaré. No me acuerdo del nombre del orador, pero si recuerdo el par de minutos que lo observé mientras cambiaba de canales una noche. Con mi control remoto en la mano, estaba pasando a través de todos los canales cuando tropecé con un servicio televisado de una iglesia. Normalmente no miro las iglesias por televisión, pero estaba fascinado por el hecho que el predicador tenía un teléfono sobre su púlpito. *¿Por qué tiene este tipo un teléfono a su lado*?, pensé. Pronto iba a recibir mi respuesta. El pastor comenzó diciendo suavemente:

"Quiero hablar con ustedes hoy acerca del tema de la oración". Yo aún no había visto la relación con el teléfono. "La oración es solamente otra manera de decir que tenemos una conversación con el Señor", continuó. "¿Cuándo fue la última vez que ustedes hablaron con el Señor?"

Afortunadamente para mi conciencia, había hablado hacía poco con el Señor por lo que no tenía que sentirme culpable.

"He escuchado decir a la gente que ellos no hablan con Dios porque son demasiado tímidos para aproximarse a Él. Bueno, yo puedo entender sus sentimientos. Pero les pido que entiendan un par de puntos importantes. Primero, Dios siempre es accesible. No necesitan sentirse intimidados cuando se acercan a Él. El hecho es que Él *quiere* hablar con ustedes. Segundo, aun las personas más tímidas no tienen problemas en hablar por teléfono".

Ellos pueden levantar el auricular y hablar durante horas con sus amigos. Dicho esto, descolgó el teléfono y lo mostró hacia la cámara. "Dios es vuestro amigo. Él desea hablar con ustedes. ¿Por qué no levantan el teléfono y hablan con él en este momento?".

Bueno, confieso que fue un poco cursi, pero la imagen me encantó. Este tipo había definido la oración con toda firmeza. Cuando nosotros barremos toda esa jerga que resuena espiritualmente, queda que la oración es el maravilloso privilegio de sostener una prolongada conversación con el Señor viviente.

La oración es una de las más deliciosas disciplinas espirituales. Sin embargo, los hombres la descuidan con frecuencia, y las razones son difíciles de identificar. Decir que es debido a la falta de entrenamiento es simplificarlo demasiado. La oración no es simplemente un ritual que ocurre en un determinado momento utilizando un predeterminado formato.

A través de la oración, Dios deja las páginas de la historia y se experimenta como una realidad presente. Es más que solamente Jesús el héroe de la historia. ¡Él es el alguien al que le hablamos en ese preciso instante! Echemos un vistazo más de cerca a la forma de lograr que el hablar con Dios sea una parte más práctica y accesible de nuestras vidas. Comenzaremos considerando los beneficios de la oración.

LOS BENEFICIOS DE LA ORACIÓN

¿Por qué debemos orar? ¿Hay ventajas en ello? Las Escrituras señalan docenas de beneficios relacionados con nuestra vida de oración. Vemos solamente algunas:

Tranquilidad

"Por nada estéis afanosos; antes bien, en todo, mediante oración y súplica con acción de gracias, sean dadas a conocer vuestras peticiones delante de Dios. Y la paz de Dios, que sobrepasa todo entendimiento, guardará vuestros corazones y vuestras mentes en Cristo Jesús" (Filipenses 4:6-7).

La pureza del corazón

"Ten piedad de mí, oh Dios, conforme a tu misericordia; conforme a lo inmenso de tu compasión, borra mis transgresiones. Lávame por completo de mi maldad, y límpiame de mi pecado...:Purifícame con hisopo, y seré limpio; lávame, y seré más blanco que la nieve" (Salmo 51:1-2,7).

El poder para el servicio

"Y a aquel que es poderoso para hacer todo mucho más abundantemente de lo que pedimos o entendemos, según el poder que obra en nosotros, a Él sea la gloria en la iglesia y en Cristo Jesús por todas las generaciones, por los siglos de los siglos. Amén" (Efesios 3:20).

Un propósito en la vida

"Confía en el Señor, y haz el bien; habita en la tierra, y cultiva la fidelidad. Pon tu delicia en el Señor, y El te dará las peticiones de tu corazón. Encomienda al Señor tu camino, confía en El, que El actuará" (Salmo 37:3-5).

La presencia del gozo

"Me darás a conocer la senda de la vida; en tu presencia hay plenitud de gozo; en tu diestra, deleites para siempre" (Salmo 16:11).

Prevenir la tentación

"Velad y orad, para que no entréis en tentación; el espíritu está dispuesto, pero la carne es débil" (Mateo 26:41).

Esta es una lista de beneficios bastante sorprendente, ¿verdad? Es difícil de imaginar que no solamente tenemos el privilegio de hablar directamente con nuestro Padre celestial, sino que Él también nos recompensa con semejante lista de resultados positivos.

EL PODER DE LA ORACIÓN

Una palabra que se relaciona estrechamente con la oración es la palabra *poder*. Muchas cosas que Dios puede hacer en nuestro mundo está relacionado directamente con la vida de oración de creyentes como usted y yo. Tengamos en cuenta algunos hechos de las Escrituras:

Todos podemos experimentar el poder de la oración

"Por tanto, confesaos vuestros pecados unos a otros, y orad unos por otros para que seáis sanados. La oración eficaz del justo puede lograr mucho. Elías era un hombre de pasiones semejantes a las nuestras, y oró fervientemente para que no lloviera, y no llovió sobre la tierra por tres años y seis meses. Y otra vez oró, y el cielo dio lluvia y la tierra produjo su fruto" (Santiago 5:16-18).

No hay un límite en lo que Dios puede hacer o cómo Él lo hace

"Por esta causa, pues, doblo mis rodillas ante el Padre de nuestro Señor Jesucristo,...Y a aquel que es poderoso para hacer todo mucho más abundantemente de lo que pedimos o entendemos, según el poder que obra en nosotros" (Efesios 3:14, 20).

El problema radica en nuestra fe en el poder de Dios

"Respondiendo Jesús, les dijo: En verdad os digo que si tenéis fe y no dudáis, no sólo haréis lo de la higuera, sino que aun si decís a este monte: "Quítate y échate al mar", así sucederá. Y todo lo que pidáis en oración, creyendo, lo recibiréis" (Mateo 21:21-22).

Nuestros motivos mueven la respuesta de Dios a nuestras oraciones

"Y todo lo que pidáis en mi nombre, lo haré, para que el Padre sea glorificado en el Hijo. Si me pedís algo en mi nombre, yo lo haré" (Juan 14:13-14).

Hay un admirable poder en la oración. El único eslabón débil es nuestra fe. No nos damos cuenta realmente cuánto podría hacer Dios si confiásemos completamente en Él. La oración es una forma efectiva de librarnos en gran parte de nuestras luchas, volviéndonos hacia su omnipotente poder como nuestra fuente de fortaleza.

Tenga en cuenta, sin embargo, que las Escrituras también advierten acerca de los problemas que nos van a impedir nuestra vida de oración. ¿Ha experimentado usted algunas de estas barreras en su vida de oración?

LAS BARRERAS DE LA ORACIÓN

La indiferencia por la Biblia

"Al que aparta su oído para no oír la ley, su oración también es abominación" (Proverbios 28:9).

Pecados a los que nos negamos a renunciar

"Si observo iniquidad en mi corazón, el Señor no me escuchará" (Salmo 66:18).

Conflicto matrimonial

"Y vosotros, maridos, igualmente, convivid de manera comprensiva con vuestras mujeres, como con un vaso más frágil, puesto que es mujer, dándole honor como a coheredera de la gracia de la vida, para que vuestras oraciones no sean estorbadas" (I Pedro 3:7).

Incapacidad de perdonar a otros

"Porque si perdonáis a los hombres sus transgresiones, también vuestro Padre celestial os perdonará a vosotros. Pero si no perdonáis a los hombres, tampoco vuestro Padre perdonará vuestras transgresiones" (Mateo 6:14-15).

Si usted es como yo, entonces estará constantemente examinando su corazón para estar seguro que ninguna de estas barreras existen entre usted y el Señor. Avancemos ahora un paso más. ¿Qué tipo de cosas deberíamos crear para que nuestras oraciones fuesen más efectivas? La Biblia habla también acerca de esta pregunta.

EL CONTEXTO PARA LA ORACIÓN

La fe

"Y sin fe es imposible agradar a Dios; porque es necesario que el que se acerca a Dios crea que El existe, y que es remunerador de los que le buscan" (Hebreos 11:6).

La obediencia

"Y todo lo que pidamos lo recibimos de Él, porque guardamos sus mandamientos y hacemos las cosas que son agradables delante de El" (I Juan 3:22).

Acción de gracias

"Por nada estéis afanosos; antes bien, en todo, mediante oración y súplica con acción de gracias, sean dadas a conocer vuestras peticiones delante de Dios" (Filipenses 4:6).

La paciencia

"Pero los que esperan en el Señor renovarán sus fuerzas; se remontarán con alas como las águilas, correrán y no se cansarán, caminarán y no se fatigarán" (Isaías 40:31).

La persistencia

"Y yo os digo: Pedid, y se os dará; buscad, y hallaréis; llamad, y se os abrirá. Porque todo el que pide, recibe; y el que busca, halla; y al que llama, se le abrirá" (Lucas 11:9-10).

La humildad

"Humillaos en la presencia del Señor y Él os exaltará" (Santiago 4:10).

No permita que esta lista los intimide. Todos nosotros nos quedamos cortos en algunas de estas cualidades. Ellas representan la oración en su máxima efectividad. Es posible, no obstante, tener una buena vida de oración sin ser perfecto en cada área.

Yo encuentro un gran estímulo en las palabras de John Gardner:

> *La función primordial de la oración no es actuar como una herramienta de control de las fuerzas que existen, sino más bien significa un acceso para que el alma perturbada y necesitada pueda llegar valientemente a la presencia de Dios para la necesaria fortaleza y valentía para poder soportar su carga.*[1]

TIPOS DE ORACIÓN

Encontramos una variedad de oraciones presentadas en la Palabra de Dios. Observando las mismas tenemos claros ejemplos de los tipos de oración que podemos usar.

Aquí hay cuatro tipos:

Fortaleza para uno mismo y para otros creyentes

"Por esta razón, también nosotros, desde el día que lo supimos, no hemos cesado de orar por vosotros y de rogar que seáis llenos del conocimiento de su voluntad en toda sabiduría y comprensión espiritual, para que andéis como es digno del Señor, agradándole en todo, dando fruto en toda buena obra y creciendo en el conocimiento de Dios;

fortalecidos con todo poder según la potencia de su gloria, para obtener toda perseverancia y paciencia, con gozo dando gracias al Padre que nos ha capacitado para compartir la herencia de los santos en luz" (Colosenses 1:9-12).

La salvación para otros

"Hermanos, el deseo de mi corazón y mi oración a Dios por ellos es para su salvación"(Romanos 10:1 BdlA).

Suplir la necesidades físicas y materiales

"Y mi Dios proveerá a todas vuestras necesidades, conforme a sus riquezas en gloria en Cristo Jesús"(Filipenses 4:19 BdlA).

Obreros para la siega

"Y viendo las multitudes, tuvo compasión de ellas, porque estaban angustiadas y abatidas como ovejas que no tienen pastor. Entonces dijo a sus discípulos: La mies es mucha, pero los obreros pocos. Por tanto, rogad al Señor de la mies que envíe obreros a su mies" (Mateo 9:36-38).

La Biblia contiene tipos específicos de oraciones, pero la oración no está limitada a ellos. Somos capaces de brindarle *todo* al señor, y Él nos escuchará.

LA CLAVE DE LA ORACIÓN EFECTIVA

La clave para una oración efectiva está tratada en dos pasajes escritos por el apóstol Juan. Consideremos estas palabras:

> *Y todo lo que pidáis en mi nombre, lo haré, para que el Padre sea glorificado en el Hijo. Si me pedís algo en mi nombre, yo lo haré.*
>
> Juan 14:13-14

Y esta es la confianza que tenemos delante de El, que si pedimos cualquier cosa conforme a su voluntad, El nos oye. Y si sabemos que El nos oye en cualquier cosa que pidamos, sabemos que tenemos las peticiones que le hemos hecho.

I Juan 5:14-15

Si sumáramos estos dos versículos a una suscita declaración, sería algo como esto:

La oración es más efectiva cuando es en el nombre de Jesús, de acuerdo con el deseo de Dios

Esta no es una fórmula mágica o un conjuro. Pero orar en el nombre de Jesús implica y debería denotar el espíritu en el cual se brinda. Para que la oración sea efectiva, debemos pagar el precio de conocer la mente y el espíritu de Cristo y entonces orar de acuerdo.

Si nuestros pedidos están en los deseos del Señor, siempre recibiremos lo que hemos solicitado. Con frecuencia dicen los hombres: "¿Por qué debemos pedir a Dios por cosas, siendo que Él conoce nuestras necesidades?"

La mejor respuesta que les puedo ofrecer es volver al ejemplo del matrimonio. Cuando regreso a casa después de un duro día en la oficina, Susana sabe intuitivamente que he tenido un mal día en cuanto mi cansado cuerpo traspasa la puerta de entrada. Pero se desarrolla la intimidad entre nosotros cuando yo "la invito" a mi mundo al contarle lo que ocurrió. El compartir, las emociones y las comunicaciones todo ello conduce a un importante resultado. Ya no es más solamente mi día; es ahora *nuestro día*. Ya no se trata sólo de mí, ahora se trata de nosotros.

Con Dios funciona de la misma manera. Él se goza en escucharnos contarle las cosas buenas y las malas de nuestro día. Nos lleva más cerca de nuestro Padre. Desarrollamos una más profunda intimidad al abrirnos a Él.

La oración verdaderamente trae resultados. Hará un cambio en su vida. Yo lo puedo garantizar porque Dios lo garantiza.

LOS ASPECTOS DE LA ORACIÓN

¿Entonces, cómo debo estructurar mis oraciones? A través de los siglos, se han utilizado diferentes métodos de oración. Algunos métodos parecían demasiado simples, mientras que otros eran tan complicados que resultaban casi imposibles para la persona promedio. Hace varios años descubrí un método útil, simple y que desde entonces fue un buen modelo para mi oración personal. Use la palabra ACDS como un acrónimo:

A = *Adoración*

Comience su oración alabando al Señor. Déle gracias por su grandeza. Dedique unos minutos para decirle cuánto lo ama. ¿No es asombroso que Él sea tan grande y sin embargo tan accesible?

C = *Confesión*

El segundo aspecto de la oración es limpiarse ante Él. Admita a Dios sus defectos, confiese sus pecados, y pídale perdón.Esta es una maravillosa parte terapéutica de la oración cristiana. El apóstol Juan nos dice que si confesamos nuestros pecados, Él nos los perdonará (ver I Juan 1:9). La catarsis que usted siente por haber limpiado su alma no se compara a ninguna otra cosa en su vida.

D = *Dar gracias*

¡La tercera parte de la oración es divertida! Piense en todas las cosas que Dios ha hecho por usted y déle las gracias por ellas. ¿A qué necesidades le dio respuesta recientemente? ¿Qué podemos decir de las necesidades a las que dio respuesta en los últimos cinco años? ¿Qué hizo Él por usted cuando Jesús murió en la cruz? ¡El dar las gracias puede extenderse sobre todo lo acontecido hasta ahora! Conozco a muchas personas que regresaron de la oración increíblemente animadas debido al gran tiempo dedicado a dar las gracias por todas sus bendiciones. Puede ayudar a poner los problemas de la vida en otra perspectiva.

S = *Suplicar*

Por último, traiga sus peticiones al Señor. Para la mayoría de nosotros, es bueno empezar dedicando tiempo a los tres primeros aspectos de la oración; de otra manera nos sentiríamos tentados a sentir que la oración solamente es pedir cosas. Si su vida de oración se caracterizó solamente por: "dame, dame, dame". Usted necesita empezar a explorar estos otros aspectos.

La lista ACDS no es una tarjeta legal que deberá ser verificada después de completarse. Es meramente una guía que me ha ayudado a desarrollar una vida de oración más balanceada. Con esta lista puedo echar un rápido vistazo y comprobar si cubrí todas las áreas.

La oración puede tener lugar en una variedad de formas. Conozco personas que tienen una saludable vida de oración realizada durante su viaje matutino. Conozco a otros que gozan hablando con Dios mientras efectúan un trote extenso. El tema es que la oración puede ser efectuada creativamente y con una gran flexibilidad.

Un amigo mío tiene un reclinatorio que visita regularmente. Me gusta eso porque es un lugar específico adonde él va para encontrarse con el Señor. Pero, igual que todas las cosas buenas, pueden transformarse en malas si son fijadas como un patrón que todos debemos seguir. No salga a comprar un reclinatorio solamente porque otro lo hizo. Encuentre qué es lo mejor para usted y manténgase en eso.

Es lo mismo que la idea de un *lugar para orar*. Si posee un lugar donde puede estar a solas con Dios, es magnífico. Pero Dios oye al hombre que está orando silenciosamente en la mitad de la estación del ferrocarril de Arlington Heights a Chicago tanto como oye al que ora solo en su recinto. Esta es una gran cosa del Señor, siempre está disponible, siempre accesible.

Durante mi primer pastorado, me encontré con una mujer que cambió radicalmente mi manera de pensar acerca de la oración. Recuerdo que yo estaba sentado en un círculo de oración con media docena de personas cuando le tocó orar a esta mujer de mediana edad. No había nada especial en su aspecto. Era una dama agradable, igual que su madre, esposa, hermana. Pero cuando abrió su boca para orar, mi opinión de ella cambió. Su voz era suave, pero yo sentí profundamente que ella estaba *hablando a Dios*. Era algo tan personal, tan cálido y tan familiar que pensé que si yo hubiese abierto mis ojos hubiese visto a Jesús sentado al lado de ella.

Era como una maravillosa e íntima conversación que dos personas pudiesen haber sostenido durante la cena. Dos viejos amigos trataban los temas del día, los pequeños y los grandes. Abandoné la reunión de oración como un hombre nuevo, dado que había aprendido una simple pero vital lección acerca de la oración...

Es simplemente conectarse un corazón con el otro.

CAPÍTULO CINCO

UN CORAZÓN PARA LA ADORACIÓN

¿Qué piensa usted cuando ve la palabra *adoración*? ¿Le trae una imagen mental de una catedral gótica, completa con órgano de tubos, un coro uniformado, velas y bancos? ¿O ve usted un punto tranquilo en las montañas, quizás sentado sobre una roca al lado de una rápida corriente de agua, gozando del silencio como un momento de reflexión y rejuvenecimiento? Quizás se vea usted mismo en el centro de un concierto cristiano contemporáneo, con el conjunto musical de alabanzas dirigiendo a toda la audiencia en un coro de gozosas canciones? O quizás no es ninguno de estos cuadros, sino solamente algo más rutinario como estar sentado a la mesa del comedor con su Biblia y una taza de café caliente en una temprana mañana de invierno.

Bueno, si alguna de estas imágenes le parecen a adoración, hay buenas noticias: la respuesta correcta es que todas son adoración.

La palabra *adoración* es utilizada por los cristianos para una amplia variedad de encuentros, reuniones, actividades y actos. Por ejemplo, hace varios meses, estaba predicando en una iglesia del sur de los Estados Unidos. Cuando me senté en el estrado, el pastor hizo una serie de anuncios y observaciones. Terminó diciendo: "estamos muy contentos de tener al doctor Wagner esta mañana con nosotros para dirigirnos en el servicio de adoración".

Un torrente de ideas pasó por mi mente mientras consideraba su frase, ¡incluyendo la aterradora idea de que él esperaba que yo condujese a la congregación en los cánticos! Todo el que me conoce sabe bien que aunque yo amo el cantarle alabanzas al Señor, la calidad de mi voz deja mucho que desear.

Afortunadamente, tanto para la congregación como para mí, el pastor solamente esperaba que yo predicase. Al tiempo que yo pienso que él ha usado incorrectamente el término *adoración*, dado que la adoración debería incluir *todo* lo que está sucediendo, no solamente el mensaje, cada uno de nosotros posee preconceptos confusos.

Richard Mayhue puso a la adoración en una maravillosa perpesctiva cuando escribió: "La adoración involucra el más alto privilegio y la más exaltadora de las experiencias. Es la cumbre del vivir cristiano.La adoración alimenta la intimidad con Dios y eleva nuestro compromiso con el propósito del reino de Dios".[1]

Si las palabras de Mayhue han resonado verdaderamente en su corazón, como lo hicieron en el mío, es digno de efectuar una investigación más profunda a todas las formas de la adoración.De todas las definiciones de adoración que hemos encontrado y hasta tratado de escribir, no creo haber encontrado una más clara y concisa que la que ofrece Warren Wiersbe: "La adoración es la respuesta del creyente de todo lo que él es, mente, emociones, y cuerpo, a todo lo que Dios es, dice y hace".[2]

Un poco antes, en el mismo libro, Wiersbe tuvo este sincero discernimiento:

> *Cuando consideramos todas las palabras utilizadas para la adoración tanto en el Antiguo como en el Nuevo Testamento, y cuando usted junta todos sus significados, usted encontrará que la adoración involucra las actitudes de temor, reverencia y respeto, con las de someterse, adorar y servir. Ambas son una experiencia subjetiva y una actividad objetiva. La adoración no es un sentimiento sin expresar ni tampoco una hueca formalidad. La verdadera adoración es balanceada e involucra la mente, las emociones y la voluntad. Deberá ser inteligente, deberá alcanzar lo profundo y ser motivada por el amor, debiendo llevar a actos de obediencia que glorifiquen a Dios.*[3]

En el evangelio de Juan, vemos una referencia importante a la adoración en la experiencia terrenal de Cristo. Jesús fue involucrado en cierto intenso ministerio durante un período de varios meses. Es difícil predicar, enseñar, viajar, y dedicar tiempo a un grupo de personas que ni parecen comprender bien las cosas. Él ministró a aquellos que le eran hostiles y aquellos que estaban celosos debido a que su líder, Juan el Bautista, estaba perdiendo fama mientras que la de Jesús iba en aumento, exactamente como lo había profetizado Juan. A eso se sumaban los fariseos que estaban tan celosos que fue necesario para Jesús abandonar Judea. Cansado y quizás un poco con el corazón fatigado, Jesús se sentó en el pozo de Jacobo (ver Juan 4).

Una mujer samaritana vino para sacar agua. A pesar del racismo existente entre judíos y samaritanos, Jesús le pidió de beber a esa mujer. Entonces tuvo lugar una conversación cuando ella se refirió a la antigua controversia existente entre judíos y samaritanos acerca del lugar correcto para adorar. Jesús pasó por alto los temas de clase, cultura, raza y denominación al decir: Dios es espíritu, y los que le adoran deben adorarle en espíritu y en verdad (Juan 4:24).

Con estas palabras, Él definió la adoración para nosotros.

Volveremos sobre este pasaje más adelante en este capítulo. Por ahora, sin embargo, notemos que la verdadera adoración está siempre de acuerdo con la verdad e involucra el ser interior de una persona (el espíritu), no solamente acciones externas. En otras palabras, la adoración involucra a toda la persona.

¿POR QUÉ ADORAR?

Una vez dijo A.W. Tozer: "Dios desea adoradores antes que obreros, en efecto, los únicos obreros aceptables son aquellos que han aprendido el arte perdido de la adoración... Hasta las piedras lo adorarían si surgiese la necesidad, y un millar de legiones de ángeles saltarían para cumplir con su voluntad".[4]

Muchos de nosotros tuvimos la experiencia de tratar de pensar en excusas para escaparnos de la adoración un domingo por la mañana. Como pastor creo haberlo visto y oído todo. Ésta es una de mis cartas favoritas:

Querido pastor:

Usted frecuentemente pone énfasis en los servicios de adoración por su importancia para un cristiano, pero yo creo que una persona tiene el derecho de faltar de vez en cuando. Creo que cada persona debería ser disculpada por las siguientes razones y la cantidad de veces que indico:
La Navidad (el domingo antes o después)
Año Nuevo (la fiesta dura demasiado tiempo)
Pascuas (quitarlo por las fiestas)
4 de julio (la Independencia de Estados Unidos de América)
Día del Trabajo (es necesario quitarlo)
Día de los Muertos por la Patria (visito mi ciudad natal)
Último día de clases (los niños necesitan una pausa)
Primer día de clases (una última escapada)
Reuniones familiares (la mía y de mi esposa)
Dormir hasta tarde (actividades del sábado por la noche)
Fallecimiento familiar Aniversario (segunda luna de miel)
Enfermedad (uno por cada integrante de la familia)
Viajes de negocios (una obligación)
Vacaciones (tres semanas)
Mal tiempo (heladas, nieve, lluvia, tiempo nublado)
Partidos de béisbol Visita inesperada (no puedo salir)
Cambios de estación (inminente primavera, retorno del otoño)

Acontecimientos televisados (encuentros finales por el campeonato, etc.)

Pastor, esto deja únicamente dos domingos por año. Por lo tanto, usted puede contar con nuestra presencia en la iglesia en el cuarto domingo de febrero y el tercer domingo de agosto, salvo que nos veamos impedidos por fuerza mayor.

Atentamente,
Un miembro fiel

Si dedicásemos a adorar el tiempo que dedicamos en encontrar excusas para no adorar, seríamos la nación más espiritual de mundo! Pero en serio, debemos formular una pregunta importante.

¿Se preguntó usted alguna vez por que se reúnen los cristianos? En miles de ciudades y pueblos alrededor del mundo, se convocan los cristianos con regularidad y conducen un servicio de cierto tipo. Por lo general ocurre los domingos, pero más y más iglesias tienen sus servicios los viernes, sábados y hasta en la mitad de semana. Sin embargo, la pregunta es, ¿por que se reúnen todos? Dicho en forma breve, ¿por qué no adorar, no solamente con otros sino también en privado?

La Biblia está llena de respuestas a esta tan importante pregunta. Y sin las Escrituras, estamos en peligro de adorar al Dios que buscamos y no al Dios que es. Consideremos algunas de las más importantes enseñanzas.

Es por el motivo que Dios nos creó

¿Alguna vez pensó por qué nos hizo Dios? ¿Por qué creó al mundo? ¿Por qué dispuso como lo hizo? El Westminster Shorter Catechism lo dice muy bien: "El fin principal del hombre es glorificar a Dios y gozarlo para siempre"

La Escrituras nos dicen que todo fue dispuesto por Dios para adorarlo y alabarlo: Sólo tú eres el SEÑOR. Tú hiciste los cielos, los cielos de los cielos con todo su ejército, la tierra y todo lo que en ella hay, los mares y todo lo que en ellos hay. Tú das vida a todos ellos y el ejército de los cielos se postra ante ti (Nehemías 9:6).

Todo ha sido hecho por el Señor para señalarlo con el dedo y decir: "Solamente Tú eres digno". En el libro de Apocalipsis, entramos al recinto del trono de Dios para escuchar:

> *Y cada vez que los seres vivientes dan gloria, honor y acción de gracias al que está sentado en el trono, al que vive por los siglos de los siglos, los veinticuatro ancianos se postran delante del que está sentado en el trono, y adoran al que vive por los siglos de los siglos, y echan sus coronas delante del trono, diciendo: Digno eres, Señor y Dios nuestro, de recibir la gloria y el honor y el poder, porque tú creaste todas las cosas, y por tu voluntad existen y fueron creadas.*
>
> Apocalipsis 4:9-11

En el cielo, nos postraremos delante de Dios sentado en el trono y lo adoraremos.Es la razón primordial detrás de la vida y de todas las cosas. Responde la vieja pregunta del porqué de nuestra existencia.

> *Y vi volar en medio del cielo a otro ángel que tenía un evangelio eterno para anunciarlo a los que moran en la tierra, y a toda nación, tribu, lengua y pueblo, diciendo a gran voz: Temed a Dios y dadle gloria, porque la hora de su juicio ha llegado; adorad al que hizo el cielo y la tierra, el mar y las fuentes de las aguas.*
>
> Apocalipsis 14:6-7

Estos sólo son dos ejemplos de la profunda enseñanza en la Palabra de Dios: Debemos adorar a Dios por su creación y por lo que Él ha hecho. Es la razón clave detrás de todo lo que ha creado. Nosotros lo adoramos porque Él es digno de adoración.

Pero hay también otras razones por las que deberíamos adorarlo.

Reconoce la santidad de Dios

En la actualidad no entendemos mucho acerca de la santidad de Dios; la adoración es una profunda realización de esa santidad. La realidad básica por la cual no adoramos más es por que no entendemos verdaderamente el carácter de Dios. La palabra *santidad* significa literalmente "estar separado". Cuando alguien dice que Dios es santo, esto significa:

1. Está separado de cualquier maldad.
2. Está separado de todo lo que ha creado.

Mire con más atención esta segunda declaración. Dios no está en esta página ó en el púlpito. Esto sería panteísmo. Dios es superior aun cuando sea personal. Está separado de todo lo que ha creado, incluyendo el universo y los más altos cielos. El Señor no debe ser confundido o identificado con lo que ha hecho. Aquellas cosas solamente expresan su grandeza y atributos. En el Antiguo Testamento le fueron dado a Moisés los Diez Mandamientos y Dios hizo una fascinante declaración acerca de la adoración y de la santidad: "Entonces Dios dijo a Moisés: Sube hacia el SEÑOR, tú y Aarón, Nadab y Abiú, y setenta de los ancianos de Israel, y adoraréis desde lejos. Sin embargo, Moisés se acercará solo al SEÑOR, y ellos no se acercarán, ni el pueblo subirá con él" (Éxodo 24:1-2).

Una de las primeras referencias a la adoración en las Escrituras lo tiene a Dios instruyendo al pueblo para que lo adoren a la distancia. Vemos en esto la diferencia entre Dios y nosotros. Percatarse quién es Dios y quiénes somos nosotros coloca a las cosas en la perspectiva apropiada. Eliminaáa el orgullo y la arrogancia de nuestra parte. Nos previene de pedirle a Dios que haga cosas que nos corresponden a nosotros. En su lugar, debemos postrarnos delante de Él y buscar su voluntad, dándole la gloria, la adoración y la alabanza.

> *Tributad al Señor, oh familias de los pueblos, tributad al Señor gloria y poder. Tributad al SEÑOR la gloria debida a su nombre; traed ofrenda, y venid delante de El; adorad al Señor en la majestad de la santidad.*
>
> I Crónicas 16:28-29

Una generación atrás, el arzobispo William Temple hizo una profunda observación acerca de la adoración: Adorar es vivificar la conciencia de la santidad de Dios, alimentando la mente con la verdad de Dios, purificando la imaginación con la belleza de Dios, para abrir el corazón para amar a Dios, para brindar la voluntad a los propósitos de Dios.[5]

Por supuesto que esto no solamente nos enseña acerca de la santidad de Dios, sino también acerca de nuestra necesidad de acercarnos a Él con un corazón limpio. Donald Whitney escribió acerca del privilegio de adorar al santo Dios:

> *Adorar a Dios es atribuir el verdadero valor a Dios, magnificar su mérito de adoración, o mejor aun, acercarse y dirigirse a Dios cómo es digno para Él... Si usted pudiese ver a Dios en ese momento, entendería totalmente cuán digno es de su adoración que usted instintivamente se postraría sobre su rostro y lo adoraría.*[6]

Este es el tipo de adoración de la cual leemos en todo el libro de Apocalipsis.

Es la respuesta apropiada de un creyente a la bondad y salvación de Dios

"El hombre no puede vivir enteramente en el mundo. Si no es religioso, será supersticioso. Si no adora al Dios verdadero, tendrá sus ídolos".[7] Estas palabras de Theodore

Parker, escritas hace más de cien años, aún siguen siendo verdad.

Hay una historia de una pequeña, ancianita que era parte del Ejército de Salvación. Ella visitó Inglaterra en las postrimerías de su vida, para rastrear las raíces del Ejército. Durante una visita una de las magníficas catedrales del país, escuchó decir al guía turístico que los maravillosos ventanales de vitrales y la gloriosa arquitectura proveían la perfecta atmósfera para adorar a Dios.

—Tengo una pregunta que hacer —interrumpió la mujer cuando sintió que ya no aguantaba más.

—¿Sí? —respondió el guía.

—¿Cuántas personas vinieron a este lugar para creer en Jesucristo como su Salvador?

Claramente molesto por su pregunta, el guía turística respondió cortante:

—Señora, me temo que usted no entendió. ¡Esta es una catedral, no una capilla!

¿Usted puede apreciar el error en la forma de pensar de este hombre? Él ha diferenciado dos conceptos que van de la mano. Dios nos ha salvado; Él es el gran Redentor de nuestras almas. ¡Esto es precisamente por lo que debemos adorarlo. La mujer del Ejército de Salvación estaba en lo correcto. La adoración es el producto del corazón que sabe que ha sido liberado. Ahora que ha sido perdonado, no lo puede resistir, solamente tiene que gritar alabanzas al Señor en adoración.

Los hijos de Israel nos dieron un ejemplo cuando vivieron como esclavos en Egipto: "y el pueblo creyó. Y al oír que el Señor había visitado a los hijos de Israel y había visto su aflicción, se postraron y adoraron" (Éxodo 4:31). Viendo la bondad de la gracia de Dios y sabiendo que Él los iba a liberar, la única respuesta apropiada era la adoración.

Ray Ortlund escribió:

La adoración es el acto más elevado y noble que una persona puede hacer. ¡Cuando los hombres adoran, Dios está satisfecho! ¿Y cuando usted adora, usted está completo! Piense acerca de esto: ¿Por qué vino Jesús? Vino para convertir a rebeldes en adoradores. Nosotros, que una vez fuimos egocéntricos, debemos ser cambiados completamente para apartar nuestra atención de nosotros mismos y ser capaces de adorarle.[8]

Veamos otra razón para adorar.

Es el resultado natural para aquellos que conocen la grandeza y el poder de Dios

Cuanto más conocemos acerca de nuestro Señor, más lógica adquiere la adoración. ¡No podemos hacer menos, porque Dios es admirable! Oswald Chambers lo dijo de esta manera: "¡Adorar a Dios es darle lo mejor que Él nos dio!" El rey David comprendió la grandeza y el poder de Dios. Escribió:

> *Todos los términos de la tierra se acordarán y se volverán al SEÑOR, y todas las familias de las naciones adorarán delante de ti. Porque del SEÑOR es el reino, y El gobierna las naciones. Todos los grandes de la tierra comerán y adorarán; se postrarán ante El todos los que descienden al polvo, aun aquel que no puede conservar viva su alma.*
>
> Salmo 22:27-29

El pasaje equivalente en el Nuevo Testamento se encuentra en Apocalipsis:

Y cantaban el cántico de Moisés, siervo de Dios, y el cántico del Cordero, diciendo:

> *¡Grandes y maravillosas son tus obras, oh Señor Dios, Todopoderoso! ¡Justos y verdaderos son tus caminos, oh Rey de las naciones! ¡Oh Señor! ¿Quién no temerá y glorificará tu nombre? Pues sólo tú eres santo; porque TODAS LAS NACIONES VENDRÁN Y ADORARAN EN TU PRESENCIA, pues tus justos juicios han sido revelados.*
>
> Apocalipsis 15:3-4

¡Qué maravillosa descripción de la adoración! Es el pueblo diciendo: "¡Dios, Tú eres grande! Tú estás a cargo de todo. Tomarás posesión de la tierra y juzgarás a todos. Todas las naciones lo comprenden y nosotros tenemos solamente una respuesta y es la de adorarte".

El gran teólogo C.S. Lewis tenía la visión correcta de la relación entre la gloria de Dios y nuestra adoración cuando escribió: "Un hombre no puede disminuir la gloria de Dios al negarse a adorarlo como un lunático puede excluir al sol garrapateando la palabra oscuridad en las paredes de su celda".[9]

Es más lo que ocurre en el interior que en el exterior

Erwin Lutzer bien dijo:

> *¡La adoración no es solamente escuchar el sermón, apreciar la armonía del coro y unirse a los himnos cantados! ¡Ni tampoco es la oración, dado que la oración puede ser la egoísta expresión de un espíritu que no ha sido quebrantado! La adoración va más profundo. Dado que Dios es espíritu, confraternizamos con Él con nuestro espíritu; esto es, la parte inmortal e invisible de nosotros se encuentra con Dios, que es inmortal e invisible".*[10]

Como vimos antes, el mismo Jesucristo dijo en Juan 4 que la adoración debe ser en espíritu y verdad. Ésta es una enseñanza increíble. Cristo estaba contrastando lo que ocurre en el interior de nosotros con lo que hacemos en el exterior. En un sentido, este es un gran conflicto de la adoración. Nuestros corazones pueden decir una cosa, pero actuamos diferente.Quizás podemos aprender a regocijarnos por fuera, batir palmas, pararse en la alabanza, gritar "¡Amén!" o lo que sea. Pero esta no es la clave. El tema principal es lo que ocurre en el corazón. Como escribió Richard Foster: "Si la adoración no nos cambia, no fue adoración. Estar parado delante del Único Santo de la eternidad es cambiar. La adoración comienza con santa expectación y termina con santa obediencia".[11]

Lo externo no es incorrecto si lo interno está bien. Es más un problema de enfoque. Yo creo que cuando Jesús mencionó al "espíritu" en ese pasaje, se estaba refiriendo al espíritu humano. Es lo interior de nosotros lo que responde a Dios. Y Jesús lo unió íntimamente con la verdad. Para mí, esto habla de *control*. Juntos, el espíritu y la verdad se combinan para una adoración bíblica, Cristocéntrica.

Una vez más, consideremos las palabras de Doland Whitney:

> *¿Cómo es posible adorar a Dios públicamente una vez por semana cuando no lo adoramos en privado a través de toda la semana? ¿Podemos esperar que las llamas de nuestra adoración a Dios quemen ardorosamente en público el día del Señor cuando ellas apenas vacilan para Él en secreto los otros días? ¿No será que por no adorar bien en privado nuestra adoración en público no nos satisface? ... Concentrarnos en el mundo más que en el Señor, nos hace más mundanos que santos. Pero si queremos ser santos, debemos mirar hacia Dios. La santidad requiere una adoración disciplinada.*[12]

En nuestra adoración, no caigamos en la trampa de creer que los *modos* no puedan cambiar. Un modo es simplemente la forma en la cual una cultura o generación expresa un sentimiento. La verdad permanece, la expresión cambia.

La adoración es para todos nosotros. Aunque hemos visto una impresionante lista de los porqué y cómo, es suficiente con decir que adoramos porque Dios lo pide.

Dejé mis "por qué"
delante de la cruz,
arrodillada en adoración,
mi mente demasiado nublada
para pensar,
mi corazón más allá
de todo sentimiento,
y adorando comprendí,
que conociéndote,
no necesito un "por qué"

Ruth Bell Graham[13]

CAPÍTULO SEIS

UN CORAZÓN PARA LA SOLEDAD Y EL AYUNO

Conocí a Jake en una reunión de los Cumplidores de Promesas. Mirándolo, podría parecerse a miles de otros muchachos. Su cabello castaño peinado con pulcritud, un metro ochenta de estatura, con una gran sonrisa, vestido con vaqueros desteñidos, un par de desgastados zapatos de tenis, y una elegante camiseta de golf. Pudiese haber sido cualquiera de nosotros.

Mientras conversabamos junto a dos tazas llenas de café humeante, me di cuenta, sin embargo, que Jake era diferente a muchos de nosotros por lo menos en un aspecto. Descubrí rápidamente que él era uno de estos hombres, tan escasos, con la suficiente honradez como para admitir algunos de los temas espirituales con los que luchaba.

Luego de un poco de charla intrascendental, se sintió seguro conmigo, por lo que comenzó a sincerarse:

—Glenn, todo el tiempo estoy escuchando acerca de la importancia de dedicar tiempo para estar a solas con el Señor cada día —me dijo.

—Hasta usted habló hoy de esto en su prédica.

—Tienes razón, Jake —repliqué—, unos de los mejores momentos del día pueden ser aquellos a solas con Dios.

—Supongo que sí —me contestó con indiferencia.

—No pareces muy entusiasmado acerca de pasar un tiempo solo con Dios —le dije.

—No lo estoy —me dijo, desviando la mirada como avergonzado.

—¿No quieres hablarme de ello? —en este momento, parecía preocupado. Tomándose tiempo, aspiró profundamente antes de responder:

"Suena raro decirlo en voz alta, pero *tendría miedo de estar a solas con Dios*".

Nunca olvidé las palabra de Jake. Creo que representa una gran cantidad de hombres de la actualidad. Nos gusta la tranquilidad que disfrutamos cuando alternamos con amigos. Si estamos protegidos de cierta forma, podemos permanecer superficiales con aquellas personas sin temer a la crítica. Ni siquiera tenemos que temer acerca de entrar en nuestro interior y ver qué está pasando realmente.

Esto es una parte del porqué suena tan alarmante estar a solas con Dios.

Muchos hombres no han estado a solas por años. Ellos se rodearon con otros para conseguir una almohada de amortiguacíon. Puede ser que no sean tan libres de admitirlo como Jake, pero la verdad es que si se les pidiese estar a solas, estarían verdaderamente aterrorizados.

Quizás usted se identifique con Jake o quizás no. Puede que su preocupación sea más como la de un Lawrence que surgió durante una discusión acerca de las disciplinas espirituales. Llevándome aparte en forma muy parecida a la de Jake, Lawrence comenzó a decir:

—Con frecuencia, después de escuchar un mensaje lleno de desafío acerca de dedicar un tiempo a estar a solas con Dios, tengo el fuerte deseo de encontrar algún momento para hacer exactamente eso.

—Eso es magnífico —lo alenté

—*Pero* —continuó—, entonces comienzo a pensar cómo llenar ese tiempo. Allí es donde me siento confuso.

—Puedo entender su confusión —le dije.

—Dime, Glenn —me preguntó sinceramente—, ¿qué hace uno cuando está a solas con Dios?

Lawrence estaba hablando en nombre de todos los hombres al formular esta pregunta. Hablemos acerca de la respuesta.

Ron Delbene nos da una buena respuesta en su libro *Alone with God: A Guide por Personal Retreats*: "Muchos de nosotros encontramos extremadamente difícil estar a solas con Dios debido a que no estamos seguros qué debemos hacer y no tenemos idea con qué debemos esperar. La incertidumbre es algo que no nos gusta admitir, pero existe y es una barrera que cualquiera que esté seriamente preocupado acerca de su crecimiento espiritual deberá traspasar".[1]

Estar a solas con Dios puede poner nervioso a cualquiera. Los extrovertidos temen considerarlo verdaderamente porque los aparta de otras personas, las cuales les dan energía. Pero también representa un problema para los introvertidos, porque los aparta de sí mismos.

La disciplina espiritual de la soledad es una que puede golpear a una persona igual que un anticipado tiro de pelota curvo. ¿De qué se trata la soledad y cómo deberíamos acercarnos a ella? Echemos un vistazo más de cerca.

UN CORAZÓN PARA LA SOLEDAD

Dice un viejo refrán que el silencio es oro. Para actualizarlo, mis chicos dirían: "El silencio... ¡no es oro!" No hay nada peor que recibir el tratamiento del silencio en nuestra sociedad.

¿Recuerda qué mal se sintió al no ser incluido en el grupo en el colegio secundario? El saber que todo el mundo estaba hablando pero usted no estaba incluido era pura tortura.

Teóricamente, deberíamos haber salido del tratamiento del silencio cuando nos convertimos en adultos. Eso es mucha teoría. Los adultos pueden ser los peores usándolo. Desafortunadamente, uno de los lugares más comunes para este abuso es el matrimonio, donde podemos utilizarlo con gran efectividad contra el cónyuge.

¿Qué ocurre cuando somos niños? ¿Alguna vez fue enviado a su habitación, sin radio, sin televisión, sin poder hablar, sin poder cantar, solamente estar sentado en silencio y pensar acerca de lo que motivó que usted estuviese sentado en el lugar? En este caso, el silencio se convirtió en el enemigo de su diversión.

Otros hemos sido educados con el concepto que estar quietos era hacer algo furtivamente o incorrecto. ¿Recuerda cuando su mamá lanzaba un grito a su habitación: "no te estoy oyendo, seguramente estarás haciendo algo mal"?

¿Qué me dice acerca de una torpe primera salida con alguien? Usted no podía pensar en nada para mantener la conversación, por lo que habían momentos de doloroso silencio que aun hoy lo hacen encogerse cuando los recuerda.

Todas estas clases de influencias del pasado y del presente vienen a su mente cuando consideramos dedicar un tiempo a solas con el Señor. Sin embargo, pasar un tiempo a solas con nosotros es exactamente lo que Dios desea. Él quiere conocernos. Recuerdo oír decir a alguien una vez que *amor* se deletrea T-I-E-M-P-O. No es mala teología.

Otra diferencia importante a tener en cuenta es estar solo a ser un solitario. No obstante, la soledad es un lugar difícil para estar. Pero estar a solas significa situarnos en un lugar donde estemos libres de distracciones y más capaces de concentrarnos en Dios. En este sentido, estar a solas es una experiencia positiva, dado que es una oportunidad para descubrir la propia profundidad interior.

Ser atentos es una clave para estar a solas con Dios. Todos hemos estado en conversaciones en las cuales la otra persona no nos estaba prestando atención. Ya sea que la distracción provenía del exterior o del interior del individuo, podíamos ver que él o ella no estaba con nosotros mentalmente.

No les puedo decir cuántas veces he estado hablando a mis hijos y experimenté el mismo fenómeno (vamos a dejar a mi esposa fuera del tema). Sus ojos comienzan a vagar en otra dirección. Es como tratar de hablar con una pared de ladrillos. Hay gran cantidad de conversación, pero poco o nada de comunicación.

Cuando eran chicos, yo quería frecuentemente tomar suavemente sus pequeños mentones para mirarlos a los ojos. En esta forma, yo era capaz de "ayudarles" a prestar atención.

Mucho de este comportamiento sucede entre nosotros y el Señor. Él trata de comunicarse con nosotros, pero nosotros permitimos que nuestras mentes comiencen a vagar. ¡Él debe pensar que nuestra duración de atención es la de un mosquito! Y lamentablemente, cuando dejamos de prestar atención, frecuentemente perdemos importantes detalles y oportunidades.

Seamos ahora específicos. ¿Cómo hacemos que la soledad, el tiempo a solas con Dios, forme una parte de nuestras vidas? Si usted es como yo, necesita una estrategia. Primero, comencemos de a poco. No trate de estar todo el día con el Señor hasta no haberlo hecho en partes. Segundo, minimicemos el factor miedo e intimidación. Las siguientes son algunas sugerencias prácticas.

Encuentre un lugar

¿A dónde puede ir para encontrarse regularmente con Dios? El criterio número uno para este lugar es que tiene que ser lo más posible libre de distracciones. Puede ser en el cuarto de esparcimiento a la mañana antes que alguien mas se despierte. Puede ser en su escritorio durante la hora del almuerzo. Quizás es la hamaca del patio, durante un largo paseo. Puede ser en su sillón luego que todos se hayan retirado a descansar.

¿Por qué el énfasis en no tener distracciones? Cuando a un niño se le diagnostica un desorden de falta de atención (DFA), los maestros reciben indicaciones de colocar el escritorio del niño en el frente de la clase. Éste no es un castigo, sino que ayuda al estudiante a prestar atención sin la distracción de los otros niños. Hace sentido, ¿no es así?

Debido a nuestra naturaleza pecadora, usted y yo sufrimos de (DFA). Necesitamos ponernos en un lugar de poca distracción para poder prestar atención a lo que Dios está tratando de decirnos.

Establezca un tiempo

También necesitamos establecer un tiempo regular para encontrarnos con Dios. El aspecto más interesante de esto es que sea favorable para usted. Por años he tratado de dedicarle el tiempo al Señor en la mañana temprano, sabiendo perfectamente que yo no era una persona apta para la mañana. Sonaba tan espiritual dar a Dios esas horas matutinas, pero no tenía idea lo que Dios estaba tratando de decirme en esos encuentros tempranos, porque estaba demasiado dormido para prestarle atención.

Para mi es mucho más beneficioso avanzada la mañana. Puedo prestar atención entonces y me encuentro más fresco.

Establezca un tiempo y respételo.

Siga un plan

Para hacer trabajo en soledad, la mayoría de nosotros necesitamos un plan. El propósito del plan es protegernos de algunas de las tentaciones que enfrentaremos. Es tan fácil ser apartados del Señor. Considere estos temas que deberían ser parte de un plan práctico para un tiempo tranquilo:

Proteja el lugar. Asegúrese que no habrá interrupciones telefónicas. Apague su localizador electrónico. Niégese a abrir la puerta. Haga lo necesario para ello.

Proteja su interior. Aquí es donde la oración entra en escena. Pídale al Señor que guarde su corazón de las distracciones y tentaciones que tan fácilmente pueden llevarlo por mal camino. Si necesita un curso de repaso acerca del increíble poder de la oración, lea nuevamente el capítulo 4.

Proteja la mente. Leer las Escrituras le va a ser de ayuda. Algo acerca de la reflexión de cuánto Dios ha hecho por nosotros mantendrá nuestras mentes libres de distracciones que de otra manera pueden echar a perder este proceso.

Proteja la memoria. Aprenda la disciplina de anotarse lo que oyó decir a Dios. Lo que ha aprendido puede convertirse en un valioso recurso para usted, no solamente ahora sino también en el futuro, desde que usted se ha tomado el tiempo de anotarlo.

Esto nos lleva a otro aspecto importante de la soledad, la disciplina de llevar anotaciones diarias.

UN CORAZÓN PARA LLEVAR UN DIARIO DE ANOTACIONES

En muchos círculos, llevar un diario no es considerado algo masculino. De hecho, en un examen informal que conduje con un grupo de hombres, uno escribió esta nota: "Los diarios son para las niñas". Mientras que los diarios íntimos pueden serlo, yo pido que hagan una diferencia cuando llegamos al hecho de llevar anotaciones diarias. Registrar su día espiritual no es solamente una valiosa herramienta para usted mismo, sino piense también en el legado espiritual que usted deja a sus hijos. Reviviendo la obra de Dios en su vida puede ser de un increíble estímulo.

¿A usted le gusta viajar? Aquellos que tienen los mejores recuerdos de sus viajes siempre tienen dos cosas a su disposición, una cámara fotográfica y un diario de anotaciones. La cámara fotográfica les permite fotografiar las vista y las escenas que luego proveerán horas de diversión en el futuro. Y el diario de anotaciones les permite registrar los lugares visitados, los encuentros excitantes y los recuerdos importantes del viaje.

Es el mismo principio que para un diario espiritual.

Webster define un diario como "un relato de sucesos día por día, un registro de experiencias, ideas y reflexiones guardado para uso privado". Un diario espiritual es un registro de nuestras experiencias con Dios en los sucesos diarios, de las personas con las que nos encontramos, pero especialmente de nuestras experiencias de oración. Agregando que podemos registrar estas otras facetas de nuestras vidas diarias:

- el estado de la relaciones interpersonales
- rutinas diarias, tareas, trabajo
- esfuerzos por el reino de Dios
- lecturas espirituales
- esfuerzos por la oración

Así como aprendemos de la historia general, así podemos aprender de nuestra historia personal. Podemos reflejarnos en nuestros éxitos, fracasos, gozos y penas. Más allá, tomar notas diarias puede mantenernos responsables de ser los hacedores de la Palabra y no simples escuchas. Tomar notas diarias provee un espejo en el cual podemos aprender a vernos más claramente. Nos obliga a ser honestos con nosotros mismos y con el Señor. Nos hace también más agradecidos respecto a lo que el Señor ha hecho y más sensibles a su obra en nuestras vidas.

David Rosage, en su libro *Beginning Spiritual Direction,* ofrece consejos prácticos para comenzar con un diario de notas. Primero, compre un cuaderno de notas, con espiral o pegado, para hacer de diario. Consiga uno que no se desarme.

Rosage también sugiere tratar uno o dos métodos de anotaciones diarias. Uno lo llama el diario de la conciencia. Éste no es un diario o un listado de eventos y sucesos del día. Más bien, es un relato de las experiencias importantes que influencian su viaje espiritual. Úselo también como una forma de referirse a su relación con el Señor y lo que parece que

Él está haciendo en su vida. Rosage sugiere que se hagan las siguientes preguntas durante el proceso:

- ¿Estaba yo enterado de la presencia del Señor o estaba parcial o totalmente inconsciente de su amor en todo momento?
- ¿Estaba agradecido por sus regalos y su gracia, tomándome el tiempo para agradecerle?
- ¿Hice una pausa para escuchar al Señor hoy, a través de la creación, a través de otras personas, y a través de mis propios pensamientos?
- ¿Me tomé el tiempo para reflexionar acerca de los pensamientos que el Señor trajo a mi mente?
- Cuál fue el regalo especial que Dios me hizo hoy?

El segundo tipo de diario que Rosage recomienda es el que él llama un diario de oraciones. En él usted debería anotar la fecha y registrar dónde oró y el tiempo que le dedicó. Esto no es para producir un sentimiento de culpa sino una motivación. Hágase las preguntas siguientes y registre las respuestas en su diario de oraciones:

- ¿Qué sucede en la oración?
- ¿Fue tranquilo mi momento de oración?
- ¿Tranquilo? ¿Relajado?
- ¿Estaba yo inquieto? ¿ Distraído? ¿Lento?
- ¿Aprendí a conocer a Jesús en una forma más personal al escucharlo?
- ¿Crecí más hacia el Padre?

Llevar un diario es una forma maravillosa de conversar con Dios. Me ayuda a combatir también las distracciones. He hablado con muchos hombres que han adoptado esta disciplina espiritual con verdadero fervor.

¡Sea creativo! Conozco a personas que usan anotadores, otros usan sus computadoras, algunos registran sus pensamientos en cintas de audio, y aún hay otros que garrapatean sus pensamientos durante todo el día, usando tarjetas o un anotador de bolsillo. Algunas personas usan sus diarios como una forma de escribirle cartas a Dios.

Haga lo que más le resulta a usted.Y si pierde un día o dos, no abandone por ello. No existe una regla que diga que debe usar su diario cada día ni tampoco hay una sola forma de llevar un diario.

Cuando yo muera, mis diarios y anotaciones pasarán a mis hijos. Será de gran estímulo para ellos ver la historia de mi fe. Descubrirán las veces que he luchado con Dios y también las veces que he estado en la cima de la montaña. Verán cuando yo quise "volver a Egipto" tanto como las veces que he estado "ardiendo" por estar en la presencia de Dios.

Estoy muy contento que ellos serán capaces de conocerme aun mejor de lo que me conocen hoy, como resultado de las anotaciones que he hecho. Por último, consideremos un aspecto más de la disciplina de la soledad.

UN CORAZÓN PARA EL AYUNO

Antes de que yo diga algo acerca del ayuno, voy a confesar abiertamente mis costumbres alimenticias. Mi forma de alimentarme no es precisamente positiva. Habiéndome criado en el área de Filadelfia, me encantan los bistecs con queso a la *Philly*, tortas apetitosas y pizza. Yo creo que la torta de queso es un alimento para el desayuno. ¡Después de todo, tiene los mismos ingredientes que unos huevos rancheros o revoltillo!

En otras palabras, el ayunar no es una cosa que me sale con naturalidad. Creo francamente que no le es natural a nadie, lo cual es parcialmente por qué se puede convertir en una excelente manera de reflexionar sobre la obra de Dios en nuestras vidas.

La idea detrás del ayuno es *alejarse del alimento*. En otras palabras, nosotros no ingerimos alimentos (y bocados) para prestar total atención a los temas espirituales. El ayuno se relaciona frecuentemente con la oración, lo cual hace mucho sentido. Al alejarse de los alimentos, elegimos en su reemplazo dedicar un extenso período para hablar con Dios. Y frecuentemente es en esas extensas sesiones de oración en donde Dios nos habla en forma fuera de lo habitual.

El ayuno es esencialmente religioso, pero no esencialmente cristiano. Muchos cultos practican el ayuno como una manera de ganarse el favor de un dios o dioses. De hecho, casi puede decirse que el ayuno se ha vuelto una moda en algunas partes del mundo. El abuso del ayuno causa que muchos cristianos se han vuelto cautelosos con el concepto del mismo.

En realidad, nunca he escuchado un sermón acerca del ayuno mientras crecí en la iglesia. (Quizás el pastor predicó acerca de ello, pero yo nunca lo "escuché"). No puedo recordar una sola observación positiva o alguna instrucción que tratase del ayuno, en todo mi entrenamiento de la escuela bíblica, seminario y colegio superior. Generalmente, si un profesor hacía un comentario, era en forma negativa, refiriéndose a los errores de muchos grupos al buscar la vida eterna a través del ayuno o de "la mortificación de la carne".

En consecuencia, en casi veinte años de ministerio no fue hasta hace pocos años que comencé a escuchar más de círculos cristianos que se interesaban en el ayuno y me sentí motivado a estudiar esta disciplina espiritual por mí mismo. Después de todo, si esto es algo que Dios quiere que yo haga, entonces quiero aprender acerca de ello. Al mismo tiempo no quería verme atrapado en la última novedad cristiana o hacer algo solamente porque otros lo hacían. En mis estudios, encontré muchas explicaciones del ayuno que eran demasiado detalladas y extremadamente complejas. Mi pregunta era simple: ¿Qué es ayunar? ¿Por qué debería yo ayunar? ¿Cómo lo debería hacer? Entonces sucedió algo que estuve seguro que era el Señor trabajando en mi vida. Mientras estaba estudiando y orando acerca del ayuno, una crisis golpeó a mi familia. *¿Qué debo hacer*? *¿a quién recurrir*? Oré:

"Dios, ¿estás ahí?"

En ese momento fue cuando me golpeó, no un relámpago o una visión, era más bien un sentimiento puesto en mi mente y en mi espíritu: Debía comenzar a ayunar.

¿Pero por cuánto tiempo? No hubo respuesta. ¿Significaba que debía dejar la pizza los sábados por la noche? ¿Qué pasaba con alas de pollo y mis amados bistecs con queso a la *Philly*?

Debido a todo esto, comencé a comprender cuán agarrado estaba a la comida. Luego de un poco tiempo más a solas, anuncié a mi esposa y a mis hijos que iba a comenzar a ayunar. No sabía cuánto tiempo iba a durar, pero les pedía que me ayudasen a mantener la comida fuera de mi alcance.

Ayuné y oré, oré y ayuné. Pasaron los días sin un gran problema físico. Estaba gozando mi tiempo con el Señor y comencé a pensar en extender mi ayuno. Algunos de mis amigos habían comenzado un ayuno de cuarenta días, lo cual admiré mucho. Pensé en unirme a ellos.

Pero al séptimo día de mi ayuno, durante un momento de oración, me fue claro que mi ayuno había terminado. Creo que fue la manera de Dios de mantenerme alejado del orgullo espiritual. A través de todo esto, he aprendido una valiosa lección: el ayuno debe comenzar y continuar con el Señor o no tiene valor.

Antes de que profundice más este tema, es necesaria esta advertencia: es fundamental que usted consulte con su médico antes de comenzar un ayuno. Busque su consejo antes de participar para estar seguro que no representa un peligro médico para usted.

Un clásico libro de ayuno es *Fasting: A Neglected Discipline*, por David R. Smith. Él escribe: "para el cristiano, al ayuno no es un ritual al cual debe entregarse con regularidad, pero sí una fuente de gozo íntima, aun cuando pueda representar una búsqueda del corazón y pesar, dado que el valor de esta disciplina no radica en su efecto inmediato sino en los resultados que emanan de su práctica, y en el efecto gradual que tiene sobre el creyente"[2]

El diseño del ayuno

Muchas de las cosas de este mundo sirven de distracción y esto nos dificulta nuestra relación con Dios. Sería acertado poder identificarlas y comenzar a quitarlas de nuestras vidas. Ellas son las que el autor del libro de Hebreos llamó "pesos". La mayoría de nosotros no consideramos los alimentos este tipo de peso, pero quizás nos están alejando de lo que Dios desea que hagamos. Por ello examinemos tres tipos básicos de ayuno encontrados en las Escrituras:

Ayuno normal. En Lucas 4:2, leemos acerca de ayuno de Jesús cuando estuvo en el desierto. Declara que Él no comió nada durante esos días y luego tuvo hambre. No parece que se abstuvo de tomar agua, porque no hay ninguna referencia de que haya estado sediento o de alguna tentación efectuada en esa dirección.

Ayuno absoluto. En Hechos 9:9, Saulo (luego Pablo) se abstuvo de comer y de beber. Esto parece haberse mantenido sólo por algunos días. Esdras 10:6 nos habla que Esdras se sometió a esta clase de ayuno. Ester y Mardoqueo hicieron lo mismo en Ester 4:16. Parece que este tipo de ayuno fue seguido en medio de circunstancias excepcionalmente difíciles que requerían medidas extremas.

Ayuno parcial. Nos fue narrado en Daniel 1:8-16 que Daniel y sus amigos se sometieron en este tipo de dieta restringida. Ellos limitaron voluntariamente su dieta para no comer nada que pudiese violar su conciencia y las líneas de conducta divina.

El ayuno parcial tiene su valor. Puede ser la omisión de ciertos alimentos de su dieta regular. O como lo están haciendo ahora una cantidad de hombres por todo el país, puede ser el saltarse voluntariamente una comida o ayunar durante un cierto período un día por la semana (prestando atención de no "cargarse" durante las otras comidas).

Cuando Bill McCartney habló por primera vez acerca de su visión de alcanzar a los hombres para Cristo, invitó a un grupo de pastores y laicos de todo el estado de Colorado para reunirse con él. Se fijó una meta de mil hombres para esta primera reunión. Cuando recibió el conteo, era mucho menos que mil; eran setenta y dos.

Pero estos setenta y dos hombres se comprometieron a ayunar y orar por otros hombres. Ellos eligieron arbitrariamente el miércoles como el día en el cual ellos iban a ayunar a la hora de la cena. Su ayuno parcial se convirtió en el ímpetu para el comienzo de este poderoso ministerio que hoy ha dado la vuelta al mundo.

El texto clave acerca del ayuno fue pronunciado por Jesús en el evangelio de Mateo. Dijo:

> *Y cuando ayunéis, no pongáis cara triste como los hipócritas; porque ellos desfiguran sus rostros para mostrar a los hombres que están ayunando. En verdad os digo que ya han recibido su recompensa.*

Pero tú cuando ayunes, unge tu cabeza y lava tu rostro, para no hacer ver a los hombres que ayunas, sino a tu Padre que está en secreto; y tu Padre, que ve en lo secreto, te recompensará (Mateo 6:16-18).

El Señor Jesús tuvo mucho que decir acerca del ayuno, no solamente cómo debía hacerse, sino también los peligros que lo acompañaban.

Los peligros del ayuno

Es parte de la naturaleza humana querer tomar algo bueno y distorsionarlo para provecho propio. Éste es el caso del ayuno. La primera forma en que se distorsiona es que las personas lo usan para "demostrar" su superioridad espiritual sobre otros. Esto es exactamente lo que Jesús condenó en el pasaje de Mateo, ayunar es una demostración orgullosa y arrogante de la religión.

El período judío del ayuno tuvo lugar durante los días más agitados de la plaza, y allí es donde el orgullo aparece en estos ayunos públicos. Sería como ayunar cuando voy de paseo al centro comercial el día después de Acción de Gracias: usted puede estar seguro que tendrá un magnífico público dispuesto a observar su "humilde" devoción a Dios.

Para estar seguros que eran observados, los hipócritas que Jesús retó no se bañaban y tampoco cuidaban de su apariencia durante sus ayunos. Pero Jesús dejó claro que esto no tenía valor, salvo una adulación temporal, en este tipo de ayuno. Por lo tanto sea cuidadoso al considerar sus propios motivos para ayunar. Y luego tenga cuidado como aparenta ante otras personas. El ayuno no es lo que rompe las ataduras de algún dilema espiritual.

Las delicias del ayuno

Más que una recompensa temporal, momentánea, de autogratificación, Jesús ofrece una recompensa eterna que proviene directamente de nuestro Padre celestial. Lea nuevamente Mateo 6:16-18. Observe que enseguida después de las palabras acerca del ayuno vienen palabras relativas a almacenar tesoros en el cielo.

Cuando compramos en nuestra sociedad cosas de mucho valor, nos hemos acostumbrado a la opción de una "garantía extendida". Los vendedores nos estimulan al asegurarnos que cualquier cosa que tuviese problemas será cubierta por esta garantía extendida. Pero preste atención a lo que esto implica: esa cocina, ese automóvil, esa casa, no importa lo que sea, necesita una garantía porque no durará para siempre. Por supuesto, si tenemos cuidado con nuestras cosas, durará por mucho tiempo, pero no para siempre. ¿A dónde apunto? ¡Dios no necesita ofrecer una garantía extendida! Sus recompensas son eternas. Lo que cosechamos de nuestro ayuno personal y privado, nos estará esperando en el cielo por toda la eternidad.

William Barclay, en su comentario del evangelio de Mateo, señala cinco valores del ayuno dignos de ser repetidos:

1. El valor de la autodisciplina.
2. La liberación de la esclavitud de un hábito.

3. Mantener la capacidad de hacer sin cosas.
4. El positivo valor para la salud.
5. El aumento de nuestra apreciación de las cosas.[3]

Paul Anderson, un pastor de Los Angeles, sugirió siete beneficios del ayuno en un artículo que apareció en el *Cristian Herald*:

1. El ayunar intensifica mis esfuerzos de oración.
2. El ayunar me ayuda a recibir una guía.
3. El ayunar ayuda a liberar a los cautivos de opresiones y posesiones demoníacas.
4. El ayunar ayuda a apartar el juicio.
5. El ayunar me produce la necesidad de pedir ayuda.
6. El ayunar es una forma de expresar dolor.
7. El ayunar es una manera de perseguir la santidad.[4]

Luego Anderson citó a Andrew Murray al decir: "El ayunar ayuda a expresar, profundizar y confirmar la resolución de que todos estamos preparados para sacrificarlo todo, para sacrificarnos a nosotros mismos para alcanzar lo que buscamos en el reino de Dios".

Uno de los mejores predicadores del pasado es Jonathan Edwards. Su sermón: "Pecadores en las manos de un Dios enojado" movió a centenares de habitantes de Nueva Inglaterra al arrepentimiento y a la fe en los primeros días de la América colonial. De hecho, este único sermón ayudó a encender un avivamiento conocido como "El gran despertar". No era conocido por su voz autoritaria o su manera de predicar, pero no obstante Dios lo usó en una forma poderosa.

Desde el punto de vista humano, es difícil explicar un alcance tan lejano de un solo sermón. El orador no era enérgico, ni utilizó muchos gestos. No obstante, habló con profunda sinceridad.

Pocos conocen la intensa preparación espiritual que Jonathan Edwards se impuso antes del sermón. Por tres días antes de dirigir la palabra, no comió ningún alimento, ¡sin alimentarse por setenta y dos horas! Encima de eso, no durmió las tres noches antes del sermón. En lugar de alimentos y descanso, Edwards estaba de rodillas orando: "Señor, ¡Dame Nueva Inglaterra! ¡Dame Nueva Inglaterra!"

Cuando se levantó de estar arrodillado y caminó hasta el púlpito en este domingo tan especial, se dijo que él parecía como que hubiese contemplado directamente el rostro de Dios. Aun antes de comenzar a hablar, una fuerte convicción de sus pecados cayó sobre todos aquellos que se encontraban en la reunión.

Este es el tipo de estímulo del cual me gusta leer. Si nosotros nos comprometemos a la soledad, a llevar un diario, y a ayunar ¿quién sabe qué cosas increíbles pueden suceder en el reino de Dios?

CAPÍTULO SIETE

UN CORAZÓN PARA OFRENDAR

Necesito hablar de un tema. Estoy cansado de escuchar que todo lo que la iglesia quiere es mi dinero, o que los cristianos no deberían hablar del dinero porque asustaría y alejaría a la gente. Mientras algunas iglesias y ministerios han encabezado las noticias en los diarios en años recientes debido a su falta de integridad financiera, la verdad es que ellos representan una pequeña fracción de las iglesias, ministerios y cleros de este país. El enemigo ha realizado un trabajo maravilloso al centrar la atención del mundo (y aun en las iglesias) en el pequeño grupo y haciéndonos por lo tanto paranoicos o apologéticos cuando hablamos del tema de ofrendar.

Así, existe una carencia de enseñanza desde el púlpito, dejando a muchos cristianos luchando bajo la carga del escape al gasto por medio de las tarjetas de crédito. Por lo tanto, aunque nuestro Señor posee "el ganado sobre mil colinas" (Salmo 50:10), nosotros hemos conseguido nuestro dinero al

10% de interés, y numerosas iglesias están luchando para mantenerse.

Es de público conocimiento que el dar para la obra del Señor no es lo que debería ser. Sobre una base proporcional, la ofrenda de hoy en día es menor que durante la Gran Depresión. Aun cuando se trata de dar para las misiones, en un cálculo por cabeza. Estamos en el rango dieciséis, con Irlanda enviando más misioneros que la Iglesia estadounidense.

Necesitamos abordar el problema sobre lo que la Biblia dice acerca del dinero. Después de todo, Jesús habló más de las posesiones de las personas que todo lo que dijo en conjunto acerca del cielo y del infierno.

Usted no puede profundizar la lectura de la Biblia sin llegar a la conclusión que constantemente las Escrituras asocian la manera en la que manejamos nuestras finanzas con nuestra madurez espiritual. Usted no puede separar la madurez de la riqueza. La chequera y estado de cuentas de las tarjetas de crédito son buenos barómetros de su crecimiento espiritual. Yo no sé si esto le pasa a usted, ¡pero a mí me pone incómodo! Yo pondría mejor las áreas de mi vida en compartimientos y elegiría aquellos a los que Dios pueda tener acceso. Es mucho más fácil asumir que lo estoy haciendo bien espiritualmente cuando no tengo que entrar en cada compartimiento regularmente. Pero lamentablemente, Dios no opera así. No está interesado en una o dos o aun tres áreas de la vida de Glenn; Él quiere que todo lo mío, todo lo que soy, incluyendo la forma en que manejo mis pertenencias, sean conforme a su imagen.

Muchas cosas de este mundo son amorales. Un pedazo de madera de dos (pulgadas de ancho) por cuatro (pulgadas de largo) es amoral, hasta que la tomo y le pego con ella en la cabeza. Entonces la tabla se transforma en un tema moral. Lo mismo ocurre con las finanzas. El dinero es amoral, pero yo puedo *amar* el dinero, transformándolo en un tema moral.

John Gardner escribió las siguientes verdades acerca de la ofrenda:

Una calidad espiritual especial está involucrada en la verdadera ofrenda. La cualidad distintiva tiene que ver con la asunción que el amor debe ser el suelo del cual emana toda benevolencia espiritual significativa. Implica también la aseveración de que el amor por nuestro compañero y el amor por Dios son inseparables... Ofrendar algo requiere que el donante logre la completa separación entre él y lo que está dando... Es importante que la donación sea capaz de cumplir con toda su obra sin estar sujeto a la presencia personal del donante... El verdadero motivo detrás de estas donaciones debe ser el amor. Este amor es bidimensional. Es dirigido hacia Dios y hacia el hombre. En ambos aspectos representa la ofrenda en sí y el deseo de ayudar.[1]

¿Cuáles son entonces los principios bíblicos que deberían guiar nuestras vidas financieras?

LOS MEDIOS

La Palabra de Dios nos enseña acerca de la *mayordomía*, que significa manejar cosas para alguien, el dueño. Literalmente significa "la ley de la casa". Cuando el patrón que es el dueño de la casa se aleja, deja sus posesiones en manos de un mayordomo, y existen leyes que gobiernan la tarea del mayordomo.

El comunismo enseña que el gobierno es dueño de todo. El capitalismo enseña que el individuo es dueño de todo. El cristianismo bíblico enseña que Dios es el dueño de todo (compruébelo en el Salmo 50).

La Biblia nos enseña cuatro verdades en particular acerca de la mayordomía que deberían influir en la forma en que manejamos nuestro dinero. Como mayordomos, debemos recordar lo siguiente.

Dios es el dueño

Esta es la doctrina más fácil del mundo para creerla y la más difícil para ser aplicada. Lo leemos a través de todas las

Escrituras, aunque la mayoría de nosotros no lo relacionamos con nuestras "cosas".

¿Cree usted que su casa, sus ropas, su automóvil, sus equipo de golf, y su tocadiscos compactos le pertenecen a Dios?

Pablo describe detalladamente este concepto a la iglesia de Corinto. Ellos estaban luchando con la división de su iglesia, por lo cual el apóstol lo usó como una ilustración de una mayordomía apropiada:

> *Esto, hermanos, lo he aplicado en sentido figurado a mí mismo y a Apolos por amor a vosotros, para que en nosotros aprendáis a no sobrepasar lo que está escrito, para que ninguno de vosotros se vuelva arrogante a favor del uno contra el otro. Porque ¿quién te distingue? ¿Qué tienes que no recibiste? Y si lo recibiste, ¿por qué te jactas como si no lo hubieras recibido? Ya estáis saciados, ya os habéis hecho ricos, ya habéis llegado a reinar sin necesidad de nosotros; y ojalá hubierais llegado a reinar, para que nosotros reinásemos también con vosotros.*
>
> I Corintios 4:6-8

El principio es que si creemos que Dios es dueño de todo lo que poseemos, entonces cada don, cada talento y cada dólar en nuestra cuenta bancaria proviene de Él. Hasta nuestro aliento es de nuestro Señor. No hay lugar para el orgullo cuando le damos la gloria a Dios.

¿Usted conoce a personas que fueron bendecidas por Dios en sus finanzas y dijeron entonces: "¡tuvimos un año fantástico. No nos hemos quedado atrás!" Pero una gran mayoría de la gente trabajó tan duramente como ellos y sin embargo no lograron nada parecido. Dios simplemente bendijo con mayor magnificencia a uno que a otro. No era asunto de cuán duro ellos hayan trabajado.

Además, Dios le dio a usted la capacidad de trabajar, y Él le dio su trabajo. Por lo tanto, la única respuesta apropiada es la humildad. A Dios sea la gloria.

Dios provee

A veces, nuestras necesidades, como las vemos nosotros, no son las mismas necesidades que Dios ve en nuestras vidas. Hay un trecho cuando tomamos la necesidades estadounidenses y las aplicamos a otras culturas. Todo aquel que viaja internacionalmente es conciente de las paupérrimas necesidades y disparidad económica alrededor del mundo. Pero la verdad es que todo lo que necesitamos Dios lo suplirá. Es fácil de aceptar este principio cuando pagamos nuestras cuentas cada mes. ¿Pero qué pasa con aquellos meses en los cuales nos quedamos cortos? ¿Creemos realmente que Dios suplirá?

Pablo enseñó la clave de este tema a la iglesia de Filipo. Se refiere al hecho de estar satisfecho: Por nada estéis afanosos; antes bien, en todo, mediante oración y súplica con acción de gracias, sean dadas a conocer vuestras peticiones delante de Dios.

Y la paz de Dios, que sobrepasa todo entendimiento, guardará vuestros corazones y vuestras mentes en Cristo Jesús (Filipenses 4:6-7).

¿Está usted satisfecho con la provisión de Dios para usted en este día? Ya sea que haya sido un buen año o no, Dios suplirá todas sus necesidades. La Biblia ofrece algunas increíbles ilustraciones de esta verdad. Por ejemplo, había una viuda cuya harina en la tinaja y aceite en su vasija no se agotaban jamás (Ver I Reyes 17:14-16). Dios proveyó a sus necesidades y Él nos dijo repetidas veces que iba a suplir las nuestras. Para muchos de nosotros, nuestro problema puede ser que debemos adecuar nuestras *necesidades* a nuestros *deseos*.

Aquí cabe aplicar la satisfacción. Jesús nos dijo que no nos preocupemos por el mañana (ver Mateo 6:34). Haciéndolo gastamos un montón de energía en cosas sobre las cuales no tenemos control.

Dios lo multiplica

No solamente Dios es dueño y proveedor de nuestros recursos, también los multiplica. En II Corintios , tenemos los tres principios contenidos en un solo versículo: Y el que suministra semilla al sembrador y pan para su alimento, suplirá y multiplicará vuestra sementera y aumentará la siega de vuestra justicia (II Corintios 9:10).

Dios es el dueño; nosotros lo manejamos de acuerdo a sus instrucciones. Dios suministra; en paz le dejamos a Él nuestras necesidades. Dios lo multiplica; confiamos en Él. Entienda esto: ¿Dios dijo que iba a aumentar nuestra cosecha en nuestra cuenta bancaria o en nuestra justicia? Está más interesado en cómo vivimos que en lo que poseemos.

Pablo continuó diciendo: seréis enriquecidos en todo para toda liberalidad, la cual por medio de nosotros produce acción de gracias a Dios. Porque la ministración de este servicio no sólo suple con plenitud lo que falta a los santos, sino que también sobreabunda a través de muchas acciones de gracias a Dios (II Corintios 9:11-12). Dios nos pide que veamos que lo que le es ofrendado se transformará en acción de gracias hacia Él. Cada vez que le damos todo a Él, siempre nos devolverá en mayor cantidad que la dada por nosotros. Sólo es cuestión de tiempo.

Para algunos es una tremenda prueba de fe. Pero este es el principio a ser aplicado por nosotros, confianza. Yo creo lo suficiente en Él como para hurgar profundamente en mi billetera como un ejercicio de mi confianza. Lo que le doy, Él me lo multiplicará.

¿Usted lo cree así?

Dios recompensa

Dios también recompensa nuestra fiel mayordomía. Este principio nos afecta a todos. Jesús habló de ello en Mateo:

No os acumuléis tesoros en la tierra, donde la polilla y la herrumbre destruyen, y donde ladrones penetran y roban; sino acumulaos tesoros en el cielo, donde ni la polilla ni la herrumbre destruyen, y donde ladrones no penetran ni roban; porque donde esté tu tesoro, allí estará también tu corazón.

Mateo 6:19-21

Manejar nuestros recursos significa colocar nuestros tesoros en el cielo, no en montones de dinero. No podemos girar dólares al cielo, por lo tanto usamos nuestro dinero para ofrendarlo. Invertimos nuestros fondos en las vidas de otros y en la obra del Señor.

Sus tesoros muestran dónde está su corazón Esta es una frase convincente.

Con esto en la mente, echemos otro vistazo a la disciplina espiritual de la ofrenda y porqué debemos ofrendar.

LA MOTIVACIÓN

Si podemos consolidar en nuestro pensar los siguientes siete principios, ellos tendrán un impacto positivo en nuestros patrones de ofrenda en el futuro. Explican porqué Dios nos pide que nos caractericemos en ser un espíritu que ofrenda.

Un corazón agradecido

Después de decir a la iglesia de Corinto en: II Corintios 9 que su ofrenda suplía todas las necesidades de los santos y se transformaba en acción de gracias a Dios, Pablo prosiguió diciendo: "Por la prueba dada por esta ministración, glorificarán a Dios por vuestra obediencia a vuestra confesión del evangelio de Cristo, y por la liberalidad de vuestra contribución para ellos y para todos" (II Corintios 9:13).

La próxima vez que esté en la iglesia, recuerde cuando sea tiempo de ofrenda, que es el tiempo de la alabanza, la adoración y la gloria a Dios. ¡Esto cambiará la manera en que muchos de nosotros vemos la ofrenda! Por alguna razón, muchos cristianos poseen sentimientos negativos acerca de dar al Señor. Pero solamente puede ser lo contrario. Considere lo que este dinero podrá hacer para fomentar la obra del evangelio, cuidar del pueblo de Dios, ayudar al pobre y decirle gracias al Señor.

Un corazón sumiso

En Génesis 14, Abraham daba un décimo de todo lo que tenía al Señor. La Ley de Moisés vino más de cuatrocientos años después, por lo tanto Abraham no dio porque se lo pidieron sino porque reconoció la grandeza de Aquel que lo bendijo. Honra al SEÑOR con tus bienes y con las primicias de todos tus frutos; entonces tus graneros se llenarán con abundancia y tus lagares rebosarán de mosto (Proverbios 3:9-10).

Cuando un hombre honra al Señor con su ofrenda, demuestra su sumisión ante Él. Este hombre reconoce la soberanía sobre todo, que todo le pertenece.

Un corazón gozoso

El rey David comprendió que el principio del gozo se relaciona con la ofrenda. Lo explicó así al pueblo:

> *Sabiendo yo, Dios mío, que tú pruebas el corazón y te deleitas en la rectitud, yo he ofrecido voluntariamente todas estas cosas en la integridad de mi corazón; y ahora he visto con alegría a tu pueblo, que está aquí, hacer sus ofrendas a ti voluntariamente... Comieron, pues, y bebieron aquel día delante del SEÑOR con gran alegría.*
>
> I Crónicas 29:17,22

Ofrendar dinero a Dios no es una carga sino una delicia. Siento un gran gozo cuando apoyo a un misionero y él me envía una carta diciéndome que recientemente llevó a un joven hacia Cristo. Yo me alegro. Estoy agradecido de poder ayudar. El dar no es un inconveniente, es un privilegio.

Un corazón que apoya

¿Alguna vez se preguntaron por qué los cristianos apoyan a pastores y a misioneros? El apóstol Pablo se refirió a ello al escribir a los corintios:

> *¿No soy libre? ¿No soy apóstol? ¿No he visto a Jesús nuestro Señor? ¿No sois vosotros mi obra en el Señor? Si para otros no soy apóstol, por lo menos para vosotros sí lo soy; pues vosotros sois el sello de mi apostolado en el Señor...Así también ordenó el Señor que los que proclaman el evangelio, vivan del evangelio.*
>
> I Corintios 9:1-2,14

Aquellos que proclaman el evangelio deberían vivir de eso. Pablo ganó dinero fabricando tiendas, pero la verdad sigue siendo que el evangelio requiere de muchas personas que le dediquen el día entero. Deberíamos considerar un privilegio el poder enviar misioneros al servicio del Rey. Es mi deseo apoyar la obra del evangelio en todo el mundo.

Un corazón misericordioso

Las Escrituras son claras acerca de que los bendecidos financieramente deberían ayudar a los menos afortunados. Consideremos las palabras de apóstol Juan: Pero el que tiene bienes de este mundo, y ve a su hermano en necesidad y cierra su corazón contra él, ¿cómo puede morar el amor de Dios en él? Hijos, no amemos de palabra ni de lengua, sino de hecho y en verdad (I Juan 3:17-18).

Este tema puede causar un cierto grado de tensión en nuestras vidas, debido a que hay tantos "artistas de la estafa" que tratan de estafarnos. Pero la Biblia es clara: Socorre al pobre. He desarrollado la actitud que prefiero tener el espíritu adecuado y ser estafado, a nunca dar dinero a nadie porque me he vuelto cínico

Un corazón fiel

Una maravillosa descripción de la provisión de Dios para nosotros aparece en las cartas de Pablo a los corintios:

> *Pero esto digo: El que siembra escasamente, escasamente también segará; y el que siembra abundantemente, abundantemente también segará. Que cada uno dé como propuso en su corazón, no de mala gana ni por obligación, porque Dios ama al dador alegre. Y Dios puede hacer que toda gracia abunde para vosotros, a fin de que teniendo siempre todo lo suficiente en todas las cosas, abundéis para toda buena obra.*
>
> II Corintios 9:6-8

Confíe en Dios. Él cuidará de usted.

He aquí un consejo práctico que me ha ayudado en mis finanzas personales: aparte de la cantidad de dinero que usted le da a Dios *antes* de calcular el resto de su presupuesto. De esta forma, usted ha hecho de su ofrenda a Dios su primera prioridad tanto como hacer su presupuesto más acorde con la realidad.

Así es como funciona: si yo gano cien dólares a la semana, le doy los primeros diez a Dios y luego calculo mi presupuesto basado en los otros noventa. Suena simple, pero es una manera de no dejar a Dios fuera del tema.

Si usted es como yo, podrá encontrar difícil vivir con los hipotéticos noventa dólares por semana. Pero si le doy a Dios antes, eso me coloca en la maravillosa posición de confiar en que Él proveerá a mis necesidades. Necesito este aumento de mi fe. Él nunca me ha fallado en el pasado ¡y no voy a creer que comenzará a fallarme ahora!

Un corazón recompensado

A los ricos en este mundo, enséñales que no sean altaneros ni pongan su esperanza en la incertidumbre de las riquezas, sino en Dios, el cual nos da abundantemente todas las cosas para que las disfrutemos. Enséñales que hagan bien, que sean ricos en buenas obras, generosos y prontos a compartir, acumulando para sí el tesoro de un buen fundamento para el futuro, para que puedan echar mano de lo que en verdad es vida.

I Timoteo 6:17-19

Conozco personas que piensan que dar para recibir una recompensa celestial es una motivación carnal. Nosotros utilizamos mensajes mixtos cuando hablamos de los "incentivos" para el servicio. Por ejemplo, sentimos que no está bien darles dulces a los chicos para que memoricen un versículo bíblico, ¡dándoles entonces en su lugar el Nuevo Testamento! Sigue siendo un incentivo, de la forma en que lo mire.

El Señor usa incentivos y recompensas en la Biblia. Ciertamente no lo considera una motivación carnal. En Mateo 19, Jesús le dijo al joven y rico terrateniente que vendiese todas sus propiedades y se lo diese a los pobres, para a así tener riquezas en el cielo. Me suena como estar trabajando para una recompensa celestial.

Trato de dar por amor a Dios, pero el hecho subsiste que existe una recompensa en todo esto. Las palabras de Pablo son duras. No confíes en tus cosas sino confía en Dios y en su provisión para ti. Hacerlo así lo colocará en una mejor posición, tanto aquí como en el cielo.

EL MÉTODO

Puedo recordar la escena como si fuese ayer. Mis padres reunieron sus tres hijos alrededor de la mesa de la cocina, un lugar favorito en nuestro hogar. Todos nosotros estábamos sentados en nuestros lugares, pero mamá no era la bulliciosa de siempre. Mi papá tiende a mirar en forma seria, lo cual proviene de su herencia germana. Uno podía saber cómo estaba de humor observando las comisuras de sus ojos y labios, la sonrisa reveladora de los Wagner.

Pero en esta ocasión él tenía un gesto inusualmente serio. Suspirando profundamente, reveló a sus hijos la severidad de la situación. Estábamos en problemas financieros.

Papá fue y sigue siendo, uno de los hombres más trabajadores que yo haya conocido. Trabajar extra en un segundo empleo era la norma con la cual él trataba de proveer para su familia. Nunca hizo mucho dinero, pero todos respetábamos su sencillez de vida, y la manera en que él y mamá lograban estirar el dinero más que nadie.

Sin embargo, papá explicó que esta vez las cosas estaban especialmente duras. "Debemos vender la casa", dijo.

Luego dijo algo que yo pensé estaba completamente fuera de lógica: "Su mamá y yo hemos comenzado a dar el diezmo". Aun cuando un amigo contador había revisado sus finanzas y advertido contra eso, ellos querían confiar en Dios con todo.

El sistema de diezmar de papá era simple. Apartó una vieja caja de tabacos para el dinero del diezmo. Cuando recibía su cheque de su salario, lo cobraba y ponía diez por ciento en esa caja hasta el domingo. No importaba cuán duro había trabajado, los sábados por la noche nunca olvidó tomar el dinero de la caja para el domingo por la mañana.

En respuesta a la fe de mis padres, Dios proveyó. No los sepultó bajo montañas de dinero, pero había lo suficiente dinero para el mes.

Nunca perdimos la casa y nosotros los muchachos aprendimos una valiosa lección. Mi padres basaron su vida en principios bíblicos de mayordomía. Si bien nunca dieron menos que un diez por ciento, nunca se fijaron un porcentaje y nunca se pusieron un límite. Ellos continuaron incrementando el porcentaje que daban cada año. No tienen una pensión de la cual hablar, y cuando otros se han retirado están en una hamaca, ellos continúan trabajando para poder dar al

Señor. Ellos pagan a su manera a las misiones cada año para los proyectos a corto plazo y lo seguirán haciendo mientras sean físicamente capaces.

¿Usted alguna vez se sorprendió diciendo: "¿Cuánto debería ofrendar?" Esta pregunta trae el importante tema que yo llamo el principio del sacrificio, el cual demostraron mis padres.*Sacrificio* es casi una palabra ajena a nuestra cultura occidental, la cual es próspera comparada con el resto del mundo. Sin embargo, La Palabra de Dios nos enseña algunas valiosas lecciones en este aspecto. Existen por lo menos tres respuestas a la pregunta de cuánto debemos ofrendar:

1. Dé generosamente

Como hemos visto antes, Pablo escribió a los creyentes de Corinto estas incisivas palabras: "Pero esto digo: El que siembra escasamente, escasamente también segará; y el que siembra abundantemente, abundantemente también segará" (II Corintios 9:6).

¿Cuánto debo dar? ¿Debo dar generosamente? ¿Por qué? *Porque cosechamos lo que sembramos*. Recibiremos lo que merecemos según cómo dimos al Señor. Lo que hacemos afecta cómo seremos bendecidos tanto ahora como en el futuro. No retenga o argumente con el Señor, porque Él tiene en su corazón lo mejor para nosotros. Pablo repitió este principio en Gálatas, refiriéndose a la vida espiritual. Esto tiene efecto en todo aspecto de la vida.

Porque Dios es glorificado. Tenemos la tendencia de pensar que glorificamos a Dios cantando, enseñando u orando. Raras veces pensamos de la ofrenda como una manera de que Dios reciba nuestra honra, sin embargo, es tanto como las otras maneras utilizadas. La ofrenda de acción de gracias judía es un ejemplo práctico de este principio. Pablo se refiere a él en el pasaje que acabamos de ver en II Corintios 9.

Encuentro fascinante cuando la gente se ofrenda a Dios tanto con su tiempo como con cosas materiales. Él es glorificado. Deberíamos dar generosamente para asegurar que la alabanza y el honor vayan directamente a Él.

2. Dé proporcionalmente

Uno de los principios bíblicos de la ofrenda más mencionados está registrado en I Corintios 16:1-2: "Ahora bien, en cuanto a la ofrenda para los santos, haced vosotros también como instruí a las iglesias de Galacia. Que el primer día de la semana, cada uno de vosotros aparte y guarde según haya prosperado, para que cuando yo vaya no se recojan entonces ofrendas".

Esto es llamado dar proporcionalmente, dar en la proporción en que hemos sido bendecidos. Pablo estaba recolectando dinero para los creyentes judíos que sufrían de escasez en Judea y eran excluidos de la sociedad judía.

He escuchado tantos mensajes acerca del diezmo. ¿Realmente se le exigían a los judíos el pago de tres diezmos, el tercero cada tres años, lo cual significaría una ofrenda del veintitrés un tercio por ciento al año? Yo he predicado mensajes siguiendo estos lineamentos. Pero he llegado a la conclusión que desarrollando una fórmula, frecuentemente perdemos la motivación que hay detrás de la ofrenda. Yo trato de juzgar mi madurez espiritual mediante los números, pero Dios juzga por las intenciones del corazón.

Leemos en Deuteronomio: "Ahora, he aquí, he traído las primicias de los frutos de la tierra que tú, oh SEÑOR, me has dado". Entonces las pondrás delante del SEÑOR tu Dios, y adorarás delante del SEÑOR tu Dios (Deuteronomio 26:10).

Dar proporcional de nuestros primeros recursos es un acto de adoración. Mi papá me enseñó que dar el diez por ciento es una buena forma de *empezar*. Si este cálculo lo lleva a la costumbre de ofrendar, entonces es bueno. Pero si allí es donde usted se detiene, entonces no ha comprendido completamente lo que tienen que decir respecto a la ofrenda tanto el Antiguo como el Nuevo Testamento.

3. Dé con sacrificio

Lea en Lucas 21:1-4 el relato de la viuda y sus dos moneditas. El Señor Jesús dijo que ella dio más que todos los ricos que dieron de su abundancia. Ellos dieron su diezmo como lo requería la ley, pero ella dio más porque dio todo lo que tenía. Se convierte en la pregunta no cuánto dimos sino cuánto nos quedó después que dimos. Esta es la verdadera manera sacrificada de ofrendar. ¿Por qué dar de esta manera?

Por que el corazón es más importante que la cabeza. Esta es la lección clave del pasaje de Lucas. La cabeza quiere calcular un porcentaje y luego se felicita a sí mismo por respetar las leyes. Pero el corazón desea responder a la bondad de Dios y quebrar las reglas de los hombres. El sacrificio que hizo la viuda la apartó de todos aquellos a su alrededor. Ella recibió el "bien hecho" de Dios a pesar de no ser tan rica como aquéllos eran.

Porque Jesús es nuestro modelo. Pablo escribió: "Porque conocéis la gracia de nuestro Señor Jesucristo, que siendo rico, sin embargo por amor a vosotros se hizo pobre, para que vosotros por medio de su pobreza llegarais a ser ricos" (II Corintios 8:9).

Cristo es nuestro ejemplo, al darse completamente por nosotros. Esto es sacrificio.

Hace algunos años estuve en la India en un viaje misionero y tuve el privilegio de conocer muchos pastores y evangelistas indios. Prediqué en varias de las principales ciudades, además viajamos a algunos lugares remotos.

En una ciudad, fui contagiado por el entusiasmo del pastor y de su congregación en crecimiento. Habían construido un edificio y sin ayuda monetaria del occidente estaban enviando al sus propios misioneros a través del país. El pastor me contó acerca del "gozo de dar sacrificadamente". Si hubo alguna vez una iglesia más pobre que la de Macedonia, ¡sin duda era ésta! Sin embargo, ellos ofrendaban.

El pastor señaló a una diminuta mujer, entrada en años, que no tenía sandalias. "Ella tiene que caminar kilómetros para llegar a la iglesia", me informó. Prosiguió diciendo que cuando tuvo que solicitar una ofrenda para enviar obreros para segar la mies espiritual, esta mujer se quitó sus sandalias y las colocó en el platillo de las ofrendas.

Caminé hacia ella para hablarle por medio de un intérprete. Alabé su sacrificio. Al principio, me miró con expresión intrigada. Luego sonrió, me tocó el rostro de la manera en que solía hacerlo mi abuela, y me habló por medio del intérprete.

"Usted no entendió bien", me dijo. "Yo simplemente estoy feliz y bendecida por tener algo para dar".

Esta es la manera de dar a la cual se refería Jesús.

CAPÍTULO OCHO

UN CORAZÓN PARA PROPAGAR SU FE

Amo a mi esposa.

Estas son más que meras palabras. Susana y yo tenemos una relación especial. Le doy gracias a Dios todos los días por haberla traído a mi vida. ¡El milagro es que me conoce tan profundamente y sin embargo también me ama! Yo espero no olvidarme nunca de ello.

Debido a que amo a mi esposa, poseo la natural tendencia a hablar de ella. Cuando alguien es tan asombroso como ella, no me puedo contener pero le hablo de ella con entusiasmo a cualquiera que encuentre. No es un tipo de discurso forzado, inventado o repetido. Simplemente hablo desde mi corazón. Sin embargo, siempre me he sentido acobardado cuando escucho hablar a otros pastores y evangelistas acerca de cómo ellos viajan en avión, le piden a Dios que abra la puerta para poder presentar el evangelio a la persona sentada a su lado y entonces, al término del vuelo, ¡ellos llevaron a esta persona a los pies de Cristo! Yo tiendo a orar para que la persona al lado mío me deje tranquilo. A algunas personas les gusta hablar, a otros nos gusta la privacidad. No me malinterprete, me gustan las personas y gozo ministrándoles. Es simplemente que no soy un tipo extrovertido. Sin embargo, una vez roto el hielo, lo hago bien.

En un reciente vuelo, estaba sentada al lado mío una dulce y anciana dama. Le ayudé a colocar su excesivamente grande y pesado equipaje en el compartimiento sobre nuestras cabezas, y entonces, cuando me volví a sentar, comenzó a hablarme.

—¿De dónde es usted? —me preguntó.

Le contesté amablemente, pero ésta fue solamente la primera de una andanada de preguntas:

—¿Es usted casado? ¿Tiene hijos?

Mucho antes de despegar, la conversación ya no era incómoda. Yo estaba finalmente en condiciones de hablar acerca del evangelio y animarla a confiar en Cristo.

Cuanto más tiempo hace que soy cristiano, más me convenzo de que propagar mi fe es como hablar de Susana. Exactamente la amo y lo que hago es hablar mucho de ella, así debería ser con la presentación de Cristo. Lo amo, y por lo tanto yo quiero contarle a cualquiera lo que Él está haciendo por mí.

Tenga en cuenta que mi deseo de hablar acerca de mi amor por Susana no es el resultado de haber tomado un curso titulado: "Cómo hablar a otros acerca de su amor por su esposa". No, es un derrame natural de nuestra relación de amor. Igualmente, no tengo que tomar una clase de evangelismo para poder comunicar lo que fluye naturalmente de mi corazón. Mientras yo animo clases como ésas y hasta he enseñado en ellas, prefiero dejar que sea una parte normal y natural de mi vida. En mi mente, yo considero que esto es uno de los más grandes errores de concepto de nuestra actual cultura cristiana. Permítame establecer la verdad en términos inequívocos:

Una relación personal con Cristo me hará un poderoso testigo para Cristo.

Por lo tanto, el tema clave para hablar acerca de mi fe es trabajar en una creciente, dinámica relación con Cristo. Si este crecimiento tiene lugar, no podría dejar de hablar de ello.

Quizás sea conveniente una aclaración de términos. ¿Qué queremos decir exactamente cuando usamos la palabra *evangelizar*? Puede significar un montón de cosas diferentes a un montón de personas diferentes. A mi entender, la definición de Donald Whitney es de gran ayuda:

> *Si queremos definirlo a fondo, podríamos decir que evangelizar es presentar a Jesucristo, en el poder del Espíritu Santo, a personas pecadoras para que ellas puedan poner su confianza en Dios a través de Él, para recibirlo como su Salvador y servirle como su Rey en la fraternidad de su iglesia.*[1]

¿Ahora, ¿cómo lo hacemos? ¿Cuáles son los métodos más efectivos para alcanzar el mundo perdido para Cristo? ¿Cómo hacemos para que nuestro amor por Cristo se derrame y afecte a los que se encuentran nuestro alrededor? Hay muchos debates en la iglesia acerca de métodos de evangelizar. Pero si nuestro testimonio salta de nuestros corazones, la metodología no es realmente un gran problema, ¿no es así? No obstante, es importante hablar acerca de las diferentes maneras de presentar a Cristo al mundo perdido. Examinemos a un par de los más populares.

PROPAGAR SU FE: UN ESTILO DE VIDA

Dar testimonio comienza con la forma en que se vive. No hay absolutamente ninguna forma de explicar efectivamente el evangelio si nuestro estilo de vida no respalda lo que estamos diciendo. Para usar otro término, debemos tener *integridad.*

La integridad requiere que vivamos por los principios y lineamentos desarrollados en la Palabra de Dios. Necesitamos ser fieles seguidores de Cristo si otros deben ver a Cristo en nosotros.

Recuerde las palabras del apóstol Pedro: "sino santificad a Cristo como Señor en vuestros corazones, estando siempre preparados para presentar defensa ante todo el que os demande razón de la esperanza que hay en vosotros, pero hacedlo con mansedumbre y reverencia" (I Pedro 3:15). Los cristianos de los tiempos de Pedro fueron perseguidos simplemente porque eran cristianos. Con el temor de la tortura pendiendo sobre sus cabezas, es fácil imaginarse que muchos creyentes se "dejaban para sí" su fe. Nadie debía ver algo distinto en ellos, para que no fuesen molestados por los perseguidores. Pero otros vivían de una manera que demostraba "esperanza". Estas personas despertaban tanta curiosidad que los no cristianos se veían obligados a preguntarles: "¿Por qué actúan de la forma en que lo hacen? Ustedes son diferentes. Quiero saber qué es lo que los hace ser como son".

Este es el evangelismo del estilo de vida, la gente ve una vida de integridad. En su excelente libro, *Gentle Persuasion*. Joe Aldrich juntó una lista de seis observaciones relacionadas con el evangelio del estilo de vida:

1. Nadie va a recibir a Cristo a través de usted a menos que lo reciba a usted antes. Demuestre amor a otros hasta que quieran hablar acerca de los motivos.
2. La estrategia comunicativa de Dios siempre fue envolver una idea con una persona.
3. Invierta su tiempo en personas que parezcan estar abiertas a la fe. Preste atención a cosas como ser su interés por su compañía cristiana, dándose cuenta de las respuestas del evangelio a sus necesidades, curiosidad y preguntas. Son todos signos positivos para estimularlo a plantar su semilla. Además, sus antecedentes dejan de ser un obstáculo, y ellos toman la iniciativa de incluirlo a usted en su vida social.
4. La meta del evangelismo de estilo de vida es convertirse en parte del mundo de sus amigos. Reconozca su originalidad y sus intereses.

5. Comparta el regalo de su propia necesidad, esto es, cuente la historia de su propia necesidad espiritual y cómo Cristo se convirtió en su Salvador.
6. Si usted ama lo que alguien más ama, usted será amado.

Más o menos en el tiempo en que leí a Joe Aldrich, llegó a mis manos un artículo del *Discipleship Journal*, escrito por Stephen Sorenson, titulado "Cien por ciento natural". En el mismo, él señala que cuando Jesús trataba con la gente, no usaba fórmulas evangelísticas pero no obstante llegaba hasta ellos. Estaba dispuesto a tocar a leprosos cuando otros no querían ni estar cerca de ellos. Se reunió con gente en su propio campo, les formuló preguntas y escuchó cómo respondían. Todavía hay cristianos actualmente que no tienen ni un sólo amigo no cristiano. Si estamos dispuestos a alcanzar a la gente de esta generación, solamente será en su terreno. ¡No vendrán adonde estamos nosotros!

Sorenson prosiguió diciendo que deberíamos prepararnos para hablar acerca de nuestra fe, pero nada puede reemplazar la interacción en las vida de otros. El Señor puede trabajar a través de semejantes relaciones. En este proceso, nuestra propia relación con Cristo deberá ser mantenida fresca. De otra manera, podemos terminar ofreciendo conceptos estériles acerca de Dios en lugar de las dinámicas historias acerca de lo que está haciendo Él ahora.

Muchos no creyentes sienten temor o han postergado los caminos tradicionales del evangelismo, pero al mismo tiempo están hambrientos por individuos cristianos que los amen sinceramente. Esto significa escuchar sin juzgar y tratarlos como gente normal, no como potenciales conversos. Solamente de esta forma, concluye Sorenson, podemos merecer el derecho de hablar.

Con frecuencia subestimamos el poder de una vida bien vivida. Pero seamos cuidadosos con este tema. No debemos permitir que el concepto de "dejar que mi vida hable" se convierta en una excusa para no hablar de Cristo a las otras personas. Observe esta progresión en I Pedro 3:15. Si vivimos verdaderamente para Cristo, debería incitar a otros preguntar acerca de ello. Entonces deberíamos estar dispuestos y listos para responder. Veamos a continuación cómo hacerlo.

PROPAGAR SU FE: UN TESTIMONIO VERBAL

Dar testimonio puede significar simplemente que usted es un creyente en Jesús. Muchos de nosotros tienen una noción preconcebida del testimonio verbal como de mucha confrontación. Pero esto no es necesario.

Como estudiante del colegio bíblico, yo debía ir con compañeros de mi clase de persona a persona en las playas de la Florida o de puerta en puerta de hogar en hogar, buscando hablarles a la gente acerca del Señor. Eso resultaba ser una mezcla. A veces podía encontrar una persona que verdaderamente quería hablar acerca de la salvación. Pero con frecuencia sentía que me estaba entremetiendo en el tiempo personal de alguien en la playa o en su casa.

Yo siempre me sentía más cómodo conociendo a alguien en mi trabajo y con el tiempo ver la oportunidad de hablarle de Cristo. Mientras que he apreciado grandemente las lecciones que aprendí en el colegio, me he dado cuenta que diferentes tipos de personalidad y diferentes dones se desarrollan en forma diferente.

Lo que importa es que de alguna manera clara, la gente vea y escuche a través de mí acerca de Jesús. También he aprendido cuán importante es estar abierto a cualquier oportunidad. No les puedo contar lo que hubiese perdido si hubiese descuidado hablar del evangelio con alguno.

El señor Kimball sabe lo que quiero decir. El señor Kimball vivió hace más de cien años. En 1858, mientras enseñaba en una clase de escuela bíblica dominical, llevó hasta Cristo a un empleado de una zapatería de Boston.

Este empleado, llamado Dwight Moody, se convirtió en un evangelista y en el fundador de la escuela bíblica que continúa hoy día. En 1879, mientras estaba predicando en

Inglaterra, Moody despertó el entusiasmo evangelístico en el corazón de un pastor de una pequeña iglesia.

Este pastor, Frederick B. Meyer, llegó a una universidad estadounidense y llevó a un estudiante ante Cristo.

Este estudiante, Wilbur Chapman, comenzó a trabajar en el YMCA, y debido a su exceso de actividades en las mismas, contrató a un antiguo jugador de béisbol para que hiciese un trabajo evangelístico adicional para él.

El jugador de béisbol, llamado Billy Sunday, llevó él mismo a miles a Cristo. En una oportunidad, tuvo una cruzada en Charlotte, Carolina del Norte, donde algunos hombres se alegraron tanto respecto al evangelismo que decidieron invitar a otro evangelista para que siguiera la campaña de Sunday en Charlotte.

Este nuevo evangelista, llamado Mordecai Hamm, organizó una serie de encuentros en los cuales un muchacho confió en Jesús como su Salvador. Este muchacho, llamado Billy Graham, ha llevado a miles de personas a Cristo.

Solamente la eternidad revelará el tremendo impacto que un maestro de escuela dominical, el señor Kimball, tuvo en las vidas de otros.

¿Qué necesitamos para poder alcanzar a alguien y explicar adecuadamente el plan de salvación? Usted puede encontrar cantidades de buenos recursos, desde pequeños folletos hasta grandes libros, todos explicando cómo convertirse en un cristiano. Lleva un tiempo ver todo lo disponible, hasta que pueda descubrir algo perfecto para la persona a la cual está tratando de alcanzar. Para mí, cuando explico el evangelio, deseo que la persona entienda cinco puntos.

Primero, debido a que todos hemos nacido en pecado, todos somos imperfectos. Esto no significa que no somos "buena"gente según las normas sociales. Significa que todos hemos perdido la marca de la perfección de Dios. Y que esta imperfección nos hace incapaces de salvarnos a nosotros mismos. Generalmente hago leer a la persona el versículo bíblico de Isaías 64:6 para apoyar este punto: "Todos nosotros somos como el inmundo, y como trapo de inmundicia todas nuestras obras justas; todos nos marchitamos como una hoja, y nuestras iniquidades, como el viento, nos arrastran".

Segundo, nuestras obras son incapaces de hacer algo No podemos ganar la perfección por lo que hacemos, la Biblia lo dice claramente: "Porque por gracia habéis sido salvados por medio de la fe, y esto no de vosotros, sino que es don de Dios; no por obras, para que nadie se gloríe (Efesios 2:8-9).

Cuando ha tenido una semana dura de trabajo y recibe su cheque de pago, usted siente una sensación de éxito. Usted sabe que se ganó cada centavo. Puede ser que crea que usted merece más de lo que le pagan, pero ha cumplido con algunas tareas ha sido recompensado por hacerlas. Desafortunadamente, las personas traen este concepto con frecuencia al campo de las cosas espirituales. Por esto es tan esencial comprender que, desde la perspectiva de Dios, no podemos ganarnos la perfección.

Tercero, Jesucristo pagó completamente por nuestros pecados cuando murió en la cruz. Lo que nunca pudimos hacer por nosotros mismos, confiando en que lo haga cualquier otro, Él lo hizo por nosotros. Dos textos excelentes son " Al que no conoció pecado, le hizo pecado por nosotros, para que fuéramos hechos justicia de Dios en Él " (II Corintios 5:21). Y I Pedro 3:18.

Me he dado cuenta que la gente, especialmente en nuestra cultura occidental, tienen dificultad en recibir un regalo. Podrán apreciarlo cuando usted se ofrece a recoger la mesa después de almorzar o de cenar, pero frecuentemente hay un gesto de desconcierto en sus rostros. ¿Por qué? Debido a que han sido enseñados desde temprano que debemos proveernos por nosotros mismos. "¡Cuida de ti mismo!", nos decían nuestros padres. "¡Párate sobre tus propios pies! ¡No le debas nada a nadie!"

Por eso es tan difícil, especialmente para el hombre, entender que la cuenta por nuestros pecados está pagada. Cristo pagó la cuenta e incluyó la propina. No hay que agregar nada. Nada *puede* ser agregado.

Cuarto, poniendo toda su confianza en Jesús como su Salvador personal, la persona será salva. Un versículo conocido como Juan 3:16 "Porque de tal manera amó Dios al mundo, que dio a su Hijo unigénito, para que todo aquel que cree en El, no se pierda, mas tenga vida eterna (Juan 3:16) o Hechos 16:31 clarifica esto.

Confiar en alguien significa contar con él. Nosotros confiamos en que Jesús nos salva porque no podemos salvarnos nosotros mismos.

Cuando era muchacho, ayudé a mi padre a pintar la casa. La escalera no alcanzaba hasta la punta más alta, por lo que papá me hizo seguirlo cuando trepamos hasta el techo. ¡Era divertido sentir como si estuviese en la cima del mundo! Luego papá se subió en el techo, me dio una brocha y, con su mano firmemente sujetando mi cinturón, ¡me bajó con la cabeza primero por encima del borde para pintar la inalcanzable punta!

La cosa que más recuerdo respecto a aquellos pocos segundos de vida sobre el borde (aparte de los comentarios de mi mamá a mi papá) fue que no sentí miedo. ¿Por qué? Porque confié completamente en mi papá. Yo sabía que no me iba a dejar caer. Yo estaba ciertamente seguro.

Lo mismo pasa con Dios, nuestro padre celestial. Nuestra confianza está en Él. Aun cuando sintamos que estamos en el borde. Él nunca nos dejará caer. Finalmente, cuando una persona confía en Jesús como su Salvador, su vida eterna está garantizada. La salvación está basada no en nuestro rendimiento personal sino en sus promesas perfectas "Estas cosas os he escrito a vosotros que creéis en el nombre del Hijo de Dios, para que sepáis que tenéis vida eterna" (I Juan 5:13). Y Juan 6:47 establecen este hecho. No hay nada mágico en estos tres puntos, pero ellos presentan al evangelio en forma simple y clara.

Conocía a muchas personas que se sentían culpables respecto al evangelismo porque se sentían incompetentes. Frank es un gran ejemplo.

—Yo no puedo dar testimonio a otros porque no he estado en escuelas bíblicas o seminarios —se lamentó un día durante el almuerzo.

—¿Crees realmente que tienes que tener este nivel de entrenamiento para compartir tu fe?—le pregunté divertido.

—Bueno, puede que sea un poco exagerada mi afirmación —él reconoció.

—Pero quiero ser sincero, Glenn, evangelizar me asusta.

—¿Por qué? —le pregunté.

—Porque sé que voy a comenzar a hablar con alguien, y él me va a hacer preguntas acerca de temas profundamente teológicas respecto a los cuales soy un ignorante. Me imagino que es mejor para mi dejar todo el asunto y confiar en que lo hagan profesionales mejor que comenzar un proyecto que no puedo concluir. Yo pienso que no sirvo para compartir mi fe.

Su respuesta no me sorprendió. Pero insistí:

—¿Por qué piensas de esta manera?

—Bueno, un amigo mío se encontró en un gran debate teológico con un compañero de trabajo —me contestó—. Comenzaron hablando de temas como creación versus evolución, por qué permite Dios el sufrimiento y la maldad en el mundo, qué pasa con las otras religiones en el mundo, y un sinfín de temas que me hizo dar vueltas la cabeza de sólo escucharlos. Yo no tendría ni idea de cómo contestar cualquiera de estas preguntas.

Muchos de nosotros podemos estar permitiendo que el miedo nos aleje de compartir con otros. Cuanto más hablábamos Frank y yo, más era yo capaz de poder convencerlo que nadie tiene que lograr un nivel de "superpolemista y defensor de la fe" en el reino de Dios. Por otra parte, lo reté a invertir en unos pocos libros y cintas de audio que le provean respuestas básicas a las preguntas más comunes que formula la gente. La ignorancia es una pobre excusa.

Si la argumentación de Frank suena parecida a una que usted usó, le ofrecería el mismo estímulo. Usted puede verdaderamente comunicar su fe verbalmente a otras personas. No es tan difícil o delicado como usted pueda creer. Deje detrás la culpa y comience a orar acerca de este tema. Pídale al Señor que lo guíe exactamente a la persona precisa para comenzar un diálogo acerca de la fe. Después de todo, es normal hablar de Aquél a quien usted ama.

PROPAGAR SU FE: ADVERTENCIAS PRÁCTICAS

Leroy Eims, de The Navigators (Los Navegantes), sugiere cinco elementos como un "deber" si nuestro evangelismo debe ser efectivo. Yo no podría estar más de acuerdo, por lo cual aquí están en forma condensada:

La tenacidad

Puede llevar algún tiempo alcanzar a las personas para Cristo. No podemos ser ingenuos y pensar que todos vendrán ante el Señor después de haber escuchado el mensaje del evangelio una sola vez. Mucha gente necesita años para decidirse a aceptar a Cristo como su Salvador. Nuestro trabajo es ser persistentes. Esto es todo lo que podemos hacer.

Amistad, no conquista

El propósito de comunicar nuestra fe es ganar un hermano o hermana en Cristo, no de grabar otra muesca en la empuñadura de nuestra pistola de evangelismo. Esto suena un poquito tonto, pero usted sabe tan bien como yo que esta mentalidad existe en algunas iglesias. Hagamos un amigo, no tratemos de capturar una presa.

Control y guía del Espíritu Santo

Explicar nuestra fe en Jesús es exactamente igual que cualquier otro aspecto de nuestras vidas, deberá efectuarse bajo la influencia del Espíritu Santo. No es una actividad para la que debamos conjurar ánimo para efectuarla, como tampoco tenemos que "estimularnos" para hablar con Dios en la oración. Nosotros permitimos al Espíritu Santo que obre a través de nosotros. Nosotros somos las vasijas; Él es el tesoro.

Simpleza y claridad de mensaje

El presentar el evangelio a un no creyente no es una oportunidad para un cristiano de demostrar cuánta teología conoce. La gente quiere respuestas en un modo que ellos puedan comprender. No use jerga religiosa que será sin sentido para una persona no religiosa. Practique explicando el plan de salvación con los más simples términos posibles. Que sea claro.

Una vida que refleja el mensaje

No podemos hablar cuán maravillosa es la vida abundante si nosotros mismos hacemos quedar a Ebenezer Scrooge, ese avaro personaje de Dickens, como un niño del coro. Volvemos a la integridad. Nuestras vidas y nuestro mensaje deben complementarse el uno con el otro en vez de contradecirse. La gente se dará cuenta de la diferencia en nuestras vidas y puede que pregunten al respecto.

Cuando me entregué a Cristo, viajé un año entero con un grupo musical cristiano. Fue una experiencia por la cual estaré eternamente agradecido. Durante las dos semanas de campamento musical, donde aprendimos la música y a conocernos mutuamente (después de todo, íbamos a estar juntos los próximos diez meses, visitando treinta y ocho estados y ocho países del exterior) varios de los miembros del grupo nos guiaron en estudios bíblicos y clases de evangelismo.

Fue un tiempo excitante para mí, aprender cómo hablar de mi fe con otros. Finalmente llegó el día en que tuve mi primera oportunidad. Nuestra primera parada fue en la parte septentrional de Nueva York, donde debíamos participar en un colegio secundario local. Después del concierto repartimos tratados entre los estudiantes para comprometerlos a una conversación acerca del Señor.

Mi alegría se desvaneció rápidamente. No era exactamente mi día. Me sentí tan vencido. No podía conseguir que los muchachos hablasen conmigo, y cuando lo conseguía, no tenían absolutamente ningún deseo de confiar en Cristo. Para empeorar las cosas, aun cuando actuábamos en iglesias las próximas semanas, las personas ya eran creyentes o no estaban interesadas. Esto continuó así por algún tiempo.

Siguió decepción tras decepción. Los fracasos se amontonaron unos sobre otros. ¿Qué debía hacer? ¿ Abandonar todo? ¿Convertirme en un cristiano silencioso? ¿Dejárselo a los profesionales? ¿Dejar que mi vida hable? ¿Llegar a la conclusión que evangelizar no era uno de mis dones?

Entonces comprendí una de las más importantes lecciones de mi vida cristiana:

Yo no puedo salvar a nadie. Mi responsabilidad es ser fiel al amor a Jesús, vivir para Él y hablar de Él. Dios bendecirá mi fidelidad.

Finalmente, Dios me permitió ver a personas llegar a Cristo por mi testimonio. Y desde entonces he aprendido que el gozo de este proceso nunca envejece. Pero esta lección permaneció conmigo por años. No estoy cazando cabelleras para Jesús para colgarlas de mi cinturón y exponerlas en la iglesia.

A propósito, el grupo musical en el cual yo participaba se dirigió a Canadá para una serie de conciertos.

Y tuve nuevamente la oportunidad de hablar de mi fe con estudiantes, uno por uno. Después de un concierto, inicié una conversación acerca del Señor con un estudiante. Lo hice igual que las muchas veces anteriores. Al describir el plan de salvación, todo llevó a la pregunta final: "¿quisieras recibir el regalo de Dios de la vida eterna?" Me habían dicho no tantas veces antes que había aprendido a prepararme para la respuesta negativa. Una vez más estaba preparado para mi misericordioso cierre y decorosa salida. Pero él me tomó completamente de sorpresa al responder:

"Sí, quisiera". En mi sorpresa, le respondí: "¿De veras?".

Ambos nos reímos y luego procedimos. Nunca podré olvidar el gozo y la excitación de este momento cuando este joven estudiante oró para recibir a Cristo.

Las palabras del siguiente poema tienen un modo especial de penetrar mi alma cuando considero la importancia de desarrollar un corazón para propagar mi fe.

Una voz desde la eternidad
fuiste mi vecino por años,
compartimos nuestros sueños,
nuestros gozos, nuestras lágrimas,
fuiste para mi un amigo verdadero,
un amigo que me ayudó en la necesidad.
Mi fe en ti fue fuerte y segura,
confiábamos plenamente
que para siempre duraría,
nunca surgieron entre nosotros riñas,
compartimos amigos y enemigos.
Qué triste fue, mi amigo,
encontrar que después de todo
no eras tan bueno.
El día del fin de mi terrenal existencia,
vi que no eras amigo fiel,
en todos esos años que pasamos en la tierra,
nunca me hablaste del segundo nacimiento,
nunca hablaste de mi alma perdida,
de Cristo que me hace nuevo.
Hoy te suplico desde el cruel fuego del infierno,
y te hago saber mi último deseo,
ya no puedes hacer nada por mí,
no hay palabras que me liberen de la esclavitud,
pero no te equivoques nuevamente,
haz lo que puedas por las almas de los hombres,
háblales con toda seriedad,
no sea que los echen al infierno conmigo.

Autor desconocido.

CAPÍTULO NUEVE

TERMINARLO BIEN

Alguna vez vivió en una casa mejor descripta como media terminada? Yo lo he hecho. En realidad, lo sigo haciendo. Mi esposa bromeando me dice que Dios me ama, pero *ella* tiene un maravilloso plan para el resto de mi vida, reparando nuestra casa para que sea presentable.

Afortunadamente, ella es paciente. Tenemos tantos proyectos medio terminados en nuestra casa que ya resulta vergonzoso. Con los años he aprendido que no es suficiente tomar una decisión para hacer algo: en realidad debo ir y hacerlo.

QUÉ CUESTA TERMINAR ALGO BIEN

¿Cuánto cuesta completar proyectos, incluyendo el desarrollo de las disciplinas espirituales de nuestras vidas, y hacer un buen trabajo durante el proceso? Pienso tanto en siete factores importantes, como en las Escrituras que afirman su necesidad:

El tiempo

Para que cada proyecto sea exitoso hasta el fin, debemos apartar el tiempo necesario para hacerlo correctamente. Mi regla práctica para mejorar mi hogar es que una tarea generalmente requiere el doble de lo que yo planifiqué.

Piense en el sabio escritor del libro de Eclesiastés del Antiguo Testamento:

Hay un tiempo señalado para todo,
y hay un tiempo para cada suceso bajo el cielo:
tiempo de nacer, y tiempo de morir;
tiempo de plantar, y tiempo de arrancar lo plantado;
tiempo de matar, y tiempo de curar;
tiempo de derribar, y tiempo de edificar;
tiempo de llorar, y tiempo de reír;
tiempo de lamentarse, y tiempo de bailar;
tiempo de lanzar piedras, y tiempo de recoger piedras;
tiempo de abrazar, y tiempo de rechazar el abrazo;
tiempo de buscar, y tiempo de dar por perdido;
tiempo de guardar, y tiempo de desechar;
tiempo de rasgar, y tiempo de coser;
tiempo de callar, y tiempo de hablar;
tiempo de amar, y tiempo de odiar;
tiempo de guerra, y tiempo de paz

(Eclesiastés 3:1-8 BdlA)

¿Cómo utiliza su tiempo? ¿Es usted tan estructurado y trabajador como este pasaje propone? Si no es así, no se desanime, ¡yo tampoco lo soy! Pero lo utilizo como una meta para seguir adelante. Quiero usar mi tiempo sabiamente.

La energía

Aun si tengo el tiempo para terminar algo, si estoy mentalmente o físicamente exhausto, no seré productivo. Por lo tanto necesita energía para completar la tarea. Como cristianos, poseemos una excepcional fuente de poder, el Espíritu Santo.

> *Pero recibiréis poder cuando el Espíritu Santo venga sobre vosotros; y me seréis testigos en Jerusalén, en toda Judea y Samaria, y hasta los confines de la tierra.*
>
> Hechos 1:8

> *Que os conceda, conforme a las riquezas de su gloria, ser fortalecidos con poder por su Espíritu en el hombre interior.*
>
> Efesios 3:16

¡Esta es una fuente de energía! Tenemos disponible todo el poder que necesitamos para terminar bien el recorrido.

Los recursos

Si voy a pintar la sala familiar, es de vital importancia que tenga la pintura, las brochas, los rodillos, las bandejas, los trapos, ropas de trabajo y una variedad de otras cosas para asegurar que el trabajo será bien hecho.

Pablo enseñó a los creyentes de Corinto todo lo relacionado con sus recursos para una vida cristiana:

> *Y El me ha dicho: Te basta mi gracia, pues mi poder se perfecciona en la debilidad. Por tanto, muy gustosamente me gloriaré más bien en mis debilidades, para que el poder de Cristo more en mí. Por eso me complazco en las debilidades, en insultos, en privaciones, en persecuciones y en angustias por amor a Cristo; porque cuando soy débil, entonces soy fuerte.*
>
> II Corintios 12:9-10

El apóstol Juan enseñó acerca de la misma fuente de recursos disponibles para los creyentes: “Hijos míos, vosotros sois de Dios y los habéis vencido, porque mayor es el que está en vosotros que el que está en el mundo” (II Juan 4:4).

Este es un impresionante conjunto de ropas de trabajo, rodillos, pinceles y pintura ¿no piensa usted lo mismo?

El estímulo

Muchas personas no consideran esencial el estímulo, pero nadie puede discutir que un trabajo se hace más fácil cuando alguien viene hacia usted y le ofrece su alabanza y estímulo para lo que usted está haciendo.

El apóstol Pablo estimulaba constantemente a aquellos a quienes escribía. Consideremos dos ejemplos, uno enviado a los creyentes romanos, el otro a la iglesia de Éfeso:

> *Y el Dios de la esperanza os llene de todo gozo y paz en el creer, para que abundéis en esperanza por el poder del Espíritu Santo.*
>
> Romanos 15:13

> *Y a aquel que es poderoso para hacer todo mucho más abundantemente de lo que pedimos o entendemos, según el poder que obra en nosotros, a El sea la gloria en la iglesia y en Cristo Jesús por todas las generaciones, por los siglos de los siglos. Amén.*
>
> Efesios 3:20-21

El deseo

Yo trabajo mucho más efectivamente cuando *quiero algo, contrariamente cuando me siento forzado a hacerlo.(Esta es probablemente la razón clave de por qué tantas cosas en nuestra casa están en la fase de terminación).*

El rey David sabía el valor de la motivación. Sabía que servía mejor a Dios cuando su corazón estaba bien.

> *Me deleito en hacer tu voluntad, Dios mío; tu ley está dentro de mi corazón.*
>
> Salmo 40:8

> *Pon tu delicia en el Señor, y El te dará las peticiones de tu corazón.*
>
> Salmo 37:4

Yo amo la palabra *delicia*. Pone una sonrisa en mi rostro con sólo leerla. Saber que Dios tiene este tipo de interés en mi vida verdaderamente es una delicia. El deseo en la vida cristiana no es una cosa difícil que necesite ser exaltado. Hasta una lectura casual de su Palabra puede crear un maravilloso deseo dentro de nosotros.

La habilidad de ver el resultado final

La habilidad de tener una imagen mental del resultado final de un proyecto nos separa claramente a Susana y a mí. Ella puede mirarlo y ver su potencial; en tanto que yo, lamentablemente, todo lo que veo es un gran lío. Pablo, al igual que Susana, podía ver las posibilidades:

> *Para que ya no seamos niños, sacudidos por las olas y llevados de aquí para allá por todo viento de doctrina, por la astucia de los hombres, por las artimañas engañosas del error; sino que hablando la verdad en amor, crezcamos en todos los aspectos en aquel que es la cabeza, es decir, Cristo.*
>
> Efesios 4:14-15

> *He peleado la buena batalla, he terminado la carrera, he guardado la fe.*
>
> II Timoteo 4:7

Pablo tenía clara la carrera de su vida. A veces usted y yo necesitamos un suave recordatorio de la importancia de terminar bien las cosas.

Durante un reciente vuelo, escuché la voz del comandante saliendo por los parlantes para hacer el tan conocido anuncio: “personal de vuelo, por favor prepárese para aterrizar”.

Inmediatamente un miembro de la tripulación agregó al mensaje del comandante: “Damas y caballeros, el anuncio del comandante significa que ha encontrado el aeropuerto, por lo cual ustedes deberán poner la inclinación de sus sillas a la posición correcta, y más incómoda".

Todos nos reímos de su comentario acerca de "encontrar el aeropuerto" dicho por el comandante. Pero la verdad es que, para poder terminar bien, debemos saber hacia dónde vamos. ¿Dónde está el "aeropuerto" en el cual deseamos "aterrizar?"

La capacidad de empezar desde abajo y priorizar los objetivos

Si yo espero cualquier éxito en grandes proyectos, debo ser capaz de partirlos en pequeños pedazos más manejables. Entonces puedo darles prioridades a los objetos más pequeños en orden de importancia.

Una vez más, tenga en cuenta unas pocas palabras del Nuevo Testamento:

> *Reflexiona sobre estas cosas; dedícate a ellas, para que tu aprovechamiento sea evidente a todos. Ten cuidado de ti mismo y de la enseñanza; persevera en estas cosas, porque haciéndolo asegurarás la salvación tanto para ti mismo como para los que te escuchan.*
>
> I Timoteo 4:15-16

> *Por tanto, dejando las enseñanzas elementales acerca de Cristo, avancemos hacia la madurez, no echando otra vez el fundamento del arrepentimiento de obras muertas y de la fe hacia Dios, de la enseñanza sobre lavamientos, de la imposición de manos, de la resurrección de los muertos y del juicio eterno.*
>
> Hebreos 6:1-2

Note que ambos pasajes enseñan el proceso de comenzar desde un punto básico y luego empezar a moverse, creciendo y madurando en nuestra fe. Comenzando desde abajo y priorizando es la única manera efectiva de lograr cualquier gran meta. Para arreglar mi casa, necesito comenzar con proyectos más fáciles, recorriendo el camino hacia los más difíciles.

Para muchos de nosotros, nuestras vidas espirituales son como casas sin terminar. Es tiempo que nos dediquemos a arreglarlas. Estoy pidiendo a todos nosotros que pongamos el tiempo, la energía, los recursos, el ánimo y el deseo necesarios para convertir a la práctica de las disciplinas espirituales en una realidad diaria. ¡Imagínese cómo sería si lo hiciéramos!

ESTAMOS JUNTOS EN ESTE PROYECTO

Imagínese conmigo el primer día de prácticas de fútbol preparándose para la próxima temporada. Las esperanzas están altas. ¿Será ésta la temporada en la cual recorreremos todo el camino hasta la Copa Mundial? Usted echa un vistazo alrededor del campo de entrenamiento a los muchachos que están aquí con usted. Es obvio que usted trabajó duro fuera de temporada para estar en forma, ¡pero algunos de sus compañeros de equipo no parecen haber dedicado mucho tiempo a la disciplina del ayuno! Usted comienza a sentirse un poquito orgulloso por su condición cuando el entrenador sopla su silbato, significa que es tiempo de ir hacia el campo de prácticas.

Es un día húmedo y caliente, y al poco rato comienza a correr el sudor. Algunos muchachos se acalambran, los músculos se estiran y aparecen las magulladuras, pero usted sigue todo el día.

Sin embargo, el entrenador no está satisfecho.

No solamente que persigue a todos los muchachos en pobres condiciones, ¡también comienza a perseguirlo a usted! "¡Nosotros somos un equipo!" "¡Estamos todos juntos en esto!" Luego apunta con un dedo hacia usted pidiéndole que mire a su alrededor."¡Usted es responsable por los demás!" grita. "¡Usted los necesita y ellos lo necesitan a usted!"

Al principio usted está enojado. No es justo. ¿Por qué tiene que ser usted responsable por otro? Pueda que le lleve un tiempo comprender completamente la lección, pero la verdad prevalece. Nos necesitamos unos a otros. Algunos muchachos no lo aprenden hasta la Copa Mundial, pero finalmente lo aprenden.

Susana y yo habíamos recién llegado a Charlotte, Carolina del Norte, y estábamos reunidos con amigos para un refrigerio nocturno. De alguna manera la conversación giró hacia el tema de terminar bien las cosas, y Bob contó la siguiente historia.

Cuando él jugaba fútbol para la Universidad de Clemson, se les solicitó a los jugadores a correr una distancia predeterminada dentro de un cierto tiempo. El tiempo era fijado de acuerdo a su puesto, delantero, trasero, pateador y así todos los demás.

Mientras algunos de los jugadores se esforzaban en dar la vuelta dentro del tiempo adjudicado, los jugadores que ya habían terminado corrían al lado de los otros gritando y animándolos hasta que terminaban su vuelta.

Como dijo Bob: "Una vez que usted terminaba su carrera, se esperaba que usted volviese atrás y encontrase alguno para ver si estaba terminando bien". Agregó: "Ésta es la manera en que debería ocurrir entre los hombres cristianos: ¡No estamos corriendo esta carrera solos!"

Algunos años atrás, Dios le dijo a su pueblo que salieran al campo con el resto de su equipo y se asegurasen que ellos tuviesen éxito. EL DIVINO ENTRENADOR quiere que cada miembro de su equipo termine bien. Él tanto lo quiere que ha registrado lineamentos en su Palabra para su equipo.

En conclusión: usted tiene una cantidad de compañeros de equipo en su búsqueda por disciplina espiritual. Este hecho puede ser el estímulo que necesitamos para hacer algo más que lo que hemos hecho en el pasado.

El Nuevo testamento tiene mucho para decir acerca de relacionarse los unos con los otros como cristianos. Consideremos unos pocos ejemplos:

Somos miembros los unos de los otros

"Así nosotros, que somos muchos, somos un cuerpo en Cristo e individualmente miembros los unos de los otros" (Romanos 12:5). Formamos un equipo. Estamos todos juntos en esto, y nos necesitaremos todos para llegar a la "Copa Mundial".

Estamos dedicados los unos a los otros

"Sed afectuosos unos con otros con amor fraternal" (Romanos 12:10a). En este equipo, no estamos para despedazarnos entre nosotros sino para edificarnos mutuamente. Esto es a veces difícil, pero no nos abandonamos unos a otros.

Nos honramos los unos a los otros

"Con honra, daos preferencia unos a otros" (Romanos 12:10b).

No nos deshonramos entre nosotros en este equipo, ni en privado ni en público. Ponemos a nuestros compañeros de equipo primero.

Tenemos el mismo sentido

"Y que el Dios de la paciencia y del consuelo os conceda tener el mismo sentir los unos para con los otros conforme a Cristo Jesús" (Romanos 15:5).

No debemos tener agendas personales. Tenemos una meta, no varias. Es así como llegaremos a la "Copa Mundial".

Nos aceptamos mutuamente

"Por tanto, aceptaos los unos a los otros, como también Cristo nos aceptó para gloria de Dios" (Romanos 15:7). Venimos de distintos lugares. Poseemos diferencias raciales y denominacionales, pero ninguna es importante ahora porque estamos en el equipo de Dios. Nos aceptamos mutuamente debido a nuestra nueva identidad.

Nos amonestamos mutuamente

"En cuanto a vosotros, hermanos míos, yo mismo estoy también convencido de que vosotros estáis llenos de bondad, llenos de todo conocimiento y capaces también de amonestaros los unos a los otros" (Romanos 15:14 BdlA).

No nos adulamos mutuamente en este equipo. Si es esto lo que usted busca, vaya a otro lado. Adular a alguien es decirle lo que no es verdad para hacerlo sentirse mejor acerca de sí mismo.Yo no quiero esa tontería en mi equipo.Quiero que estemos comprometidos entre nosotros a decirnos la verdad, las cosas difíciles, porque no podemos mejorar y superarnos sin ello.

Servimos los unos a los otros

"Porque vosotros, hermanos, a libertad fuisteis llamados; sólo que no uséis la libertad como pretexto para la carne, sino servíos por amor los unos a los otros" (Gálatas 5:13).

Estamos para cada uno de nosotros. Estamos aquí para ayudarle a triunfar.

Llevamos las cargas de los otros

"Llevad los unos las cargas de los otros, y cumplid así la ley de Cristo" (Gálatas 6:2). Algunos de nosotros deberemos compartir nuestra parte de dolor y luchas este año. Desde problemas matrimoniales a negocios arriesgados que fracasaron, a problemas con nuestros hijos, recorreremos toda la gama. Pero nos ayudaremos mutuamente a pasarlo. Recibiremos la clase de ayuda que cada hombre necesita para triunfar.

Nos sometemos unos a otros

"Sometiéndoos unos a otros en el temor de Cristo" (Efesios 5:21).

Por el amor a nuestro equipo, ponemos en primer lugar a nuestros compañeros de equipo. No necesitamos ningún niño malcriado o diva aquí.

Nos alentamos entre nosotros

"Por tanto, alentaos los unos a los otros, y edificaos el uno al otro, tal como lo estáis haciendo" (I Tesalonisenses 5:11).

¿Qué pasa cuando alguien lo echa a perder obstruyendo lo asignado, perdiendo un pase o dejando caer la pelota? Frecuentemente es la diferencia entre ganar un encuentro o perderlo. Los ganadores ayudan a sus compañeros de equipo a salir de sus inconvenientes y volver al juego. Es importante que recordemos que este proceso lleva tiempo. La santidad no aparece de la noche a la mañana. Uno de mis comediantes favoritos es Yakov Smirnoff, el cómico ruso que ahora vive en Branson, Missouri. Hace algunos años Susana y yo fuimos a ver una de sus actuaciones. Yo disfruté especialmente la manera en la cual narró su primer visita a una tienda de comestibles estadounidense.

Caminando por uno de los pasillos, llegó hasta una jarra de polvo de naranja. Las instrucciones decían que con sólo agregar agua se conseguía jugo de naranja. Completamente asombrado, Yakov exclamó:" ¡Qué país!"

Continuó su paseo por otro pasillo y se encontró con un polvo blanco que cuando se mezclaba con agua le daba a uno leche. Nuevamente exclamó: "¡Qué país!" Caminando por un tercer pasillo, fue incapaz de contenerse cuando vio un pequeño recipiente que decía "Polvo para bebé". "¡Qué país!"

Vivimos realmente en una sociedad instantánea. Tenemos café instantáneo, cenas instantáneas, y demás cosas. Desafortunadamente traemos también la mente "instantánea" a nuestra relación con Cristo, y no funciona así. Esta es una razón impulsora más para que necesitemos el respaldo de otros para mantenernos en el curso y terminar la carrera. Verdaderamente nos necesitamos entre nosotros. Yo lo necesito a usted tanto como usted me necesita. Observé este fenómeno por todo el mundo. Cuando hombres que tienen un corazón para Dios se reúnen en camaradería, comprometidos a ser responsables unos de otros, se estimulan mutuamente hacia la santidad.

Éxito del fracaso

Algunos de nosotros leímos las palabras de este capítulo con ojos desanimados. Hemos tratado antes ya de comprometernos a la santidad pero por algo nunca lo hemos conseguido completamente. Pueda que usted se esté diciendo silenciosamente a sí mismo: *¿qué diferencia puede haber esta vez con mis fracasos anteriores*?

El fracaso es una dificultad, pero no siempre es malo. Thomas Edison, el gran inventor, tuvo ciertamente su parte de experimentos fracasados.Sin embargo,no permitió a ningún miembro de su equipo usar la palabra *fracaso*.Decía: "solamente hemos participado en otra experiencia educacional".

Algún día, este fracaso es la puerta trasera para el éxito. Si usted es como yo, algunas veces ni puede encontrar la puerta. Pero debemos llegar a comprender que podemos usar el fracaso como un medio de llegar a un final exitoso.

Para la mayoría de nosotros, el éxito no es más que recobrarse de una sarta de fracasos, caídas y flaquezas. Podemos compararnos con la gente mencionada en Hebreos 11. Mientras que este capítulo es llamado frecuentemente "la sala de la fama y la fe de Dios", para mí realmente es "la sala de los fracasos reclamados".

En el colegio secundario, teníamos un muchacho en el equipo itinerante que le gustaba el comienzo de cada carrera pero odiaba el final. Al disparo del revólver indicando el comienzo de la carrera, él saltaba al frente. Al poco tiempo estaba a la cabeza de todos. Generalmente podía mantener su liderazgo por los primeros kilómetros, gozando de los gritos de estímulo de la gente a lo largo de la carrera.

Al llegar a la mitad de la carrera, sin embargo, generalmente comenzaba a jadear. Podía ver cómo los otros corredores lo pasaban, ganando una buena ventaja sobre él. No importaba lo que los entrenadores le dijesen, no podían conseguir que controlase la excitación y deseo de escuchar los gritos de ánimo en la partida. Por ese capricho, nunca era capaz de terminar una carrera entre los líderes.

Lamentablemente, muchos de nosotros hacemos lo mismo en la carrera espiritual que Dios nos llamó a hacer. Pero sea que hayamos *comenzado* bien o pobremente, siempre podemos *terminar* bien. La vida cristiana no es una carrera corta de cien yardas. Es un maratón. Aun cuando hayamos tropezado al comienzo o en alguna parte del recorrido, podemos volver a la carrera y terminar con fuerza.

CAPÍTULO DIEZ

ES SER "NOSOTROS"

Hombres, nos necesitamos unos a otros. Las palabras de Dios: "no es bueno que el hombre esté solo" se extiende bien mas allá de la relación matrimonial.

Un domingo, cuando mi esposa y yo estábamos entrando en la iglesia, y escuchamos una canción conocida cantada por el conjunto de alabanzas y adoración. Estaba sorprendido al darme cuenta porqué esa canción me era conocida, ¡era la canción de un viejo programa de televisión! Y no de uno cualquiera, ¡sino precisamente de *Cheers*!

El pastor lo usó como una forma de ilustrar su tema. "Se supone que la iglesia es un lugar de comunidad y familiar", comenzó. "El mundo tiene muchas falsificaciones, muchas contrapartidas, pero la iglesia tiene la realidad".

Al continuar desarrollando su idea, eligió las palabras del tema para ilustrar el punto: "la iglesia debería ser el lugar *donde todos conociesen tu nombre*".

Las Escrituras describen la iglesia en términos relacionados, tales como un cuerpo, una familia y una casa, tanto como todos "los otros" pasajes del Nuevo Testamento. Usted y yo nos necesitamos mutuamente. No obstante, muchos de nosotros estamos más interesados en la búsqueda de programas que en la búsqueda de relaciones. Yo no sé en qué parte de la Biblia, sin embargo, están los mandamientos de Dios de que la iglesia deba dirigir mejores programas. En su lugar, no obstante, pone énfasis en que nos cuidemos mutuamente. Sea que consideremos a las viudas o a los huérfanos o a aquellos en el ministerio, la clara idea es que nos necesitamos los unos a los otros.

Puedo oír a alguien protestando: "¡Esto me suena a codependencia!".

Mi respuesta es: "¡No, no lo es!".

La codependencia significa que uno no puede sobrevivir sin usted, lo cual no es lo que hemos hablado. Hemos hablado de interdependencia, significa que una comunidad de personas se necesitan los unos a los otros si quieren convertirse en todo lo que Dios quiere para ellos. Es el concepto de mutualidad. Piense en ello como un espolearse unos a otros al amor y las buenas obras, tal como lo exhorta el autor de la carta a los Hebreos. Es un desafío y estímulo mutuo.

Es Moisés su Josué y Jetro. Es David su Jonathan.

Es Pablo y Bernabé y el grupo que viajó con ellos. Es saber que no estoy solo en mi puesto. El Señor usará a otros en el cuerpo de Cristo para ayudarme a caminar con Él.

Para usar las palabras de otra canción, piense en la frase de la película *Cazafantasmas*, "¿A quién llamar?" ¿Su respuesta? ¡A los cazafantasmas! Cuando las cosas se presentan amenazadoras y usted no está seguro de lo que está pasando, llámelos. Pero la verdad es que cuando las cosas se ponen difíciles y amenazadoras o usted está enfrentando una tentación, el número a llamar es uno de sus hermanos en Cristo, el cual puede ayudarle.

Tengo un archivo electrónico de nombres y números telefónicos de hombres cristianos alrededor del mundo con los cuales he tenido el privilegio de conocer en estos últimos años. Son hombres de Dios, de los que tengo gran respeto. Cuando necesito un empujón o cuando necesito un desafío, un estímulo y hasta una reprimenda, sé que puedo llamar a

Stan, a Glen, a Rod, a otro Glen, o a tres o cuatro personas más, las que siempre estarán alcanzables. También tengo personas con los cuales he ministrado, amigos como Dale o Rick que nunca están demasiado ocupados como para no responder a mi llamada (aun cuando fuese llamada a cobrar). Estos son las personas especiales que crearon una relación de pacto conmigo de por vida. Ellos no siempre me dicen lo que quiero oír pero me dicen lo que debo oír. Una de mis debilidades más importantes de mi vida es la compra y lectura de libros (siguiendo muy de cerca el juego de golf). Tampoco me limito a libros religiosos. Yo compro biografías, novelas de misterio, novelas en general, etcétera. En una visita reciente a una librería colosal, completa con cafetería y sillones confortables, caminé por la sección de negocios. Estaba en busca de libros de liderazgo y planificación.

Me sorprendió cuántos libros tenían la palabra *equipo* en su título o subtítulo. Sacando algunos que habían llamado mi atención, me senté en una cómoda silla a tomarme mi café descafeinado.

Estos libros estaban llenos de un concepto que no se escuchaba unos años atrás en círculos de administración, trabajo de equipo y relaciones. En el pasado, todo provenía "desde arriba". Pero eso creaba un acercamiento opresivo y legalístico a la dirección.

Entonces las cosas comenzaron a cambiar. El liderazgo comenzó a definirse en términos de relación. Los gerentes fueron animados a involucrarse en las vidas de los que estaban bajo sus órdenes. El siguiente paso lógico fue introducir el concepto de relación a través del uso de equipos. La idea era que a través de un grupo, teníamos mucha más capacidad que como individuos. Podemos lograr tanto más si trabajamos en conjunto. Maximiza la efectividad y minimiza las debilidades individuales.

El *Harvard Business Review* publicó un artículo en su ejemplar de marzo-abril de 1993 titulado "La disciplina de equipos". En el mismo, los autores, John Katzenbach y Douglas Smith, examinaron este fenómeno que barría con la comunidad de las empresas. Ellos concluyeron que el trabajo en equipo puede ser, en efecto, la palabra resonante de los años 90, por lo tanto debe ser más que sólo una palabra, para ser tan efectiva.

La diferencia entre verdaderos equipos y otros tipos de centros de grupos de trabajo es el rendimiento, dijeron. Lo que define a un equipo es el "proyecto colectivo de trabajo". Esto significa que es un proyecto que debe ser realizado en conjunto, no pudiendo ser un producto individual.

"Hay una disciplina básica que hace que el trabajo en equipo funcione", concluyeron los dos investigadores. Los equipos más afectivos poseen relativamente pocos miembros, un compromiso mutuo, un propósito bien definido, metas específicas y de rendimiento medible, y *una responsabilidad individual y de grupo*".

El desafío de usar equipos para lograr propósitos de organización, es asegurarse que el equipo posea un propósito específico que lo distinga, requiriendo que todos sus integrantes "se arremanguen la camisa y logren algo más allá de los resultados finales individuales".

Estos conceptos tienen implicaciones y aplicaciones para nosotros como cristianos que necesitamos un grado de responsabilidad en nuestras vidas. Un propósito distintivo es el que aparta a un grupo de todo lo demás que esté haciendo. ¿Nuestro propósito? Crecer en santidad.

Los libros con énfasis en el trabajo en equipo barrieron con las empresas estadounidenses, porque nos llevó un tiempo comprender que el rudo individualismo que habíamos promocionado por tanto tiempo ya no tenía efectividad.

Pero Dios lo sabía ya todo el tiempo. Él nos dijo:

> *Más valen dos que uno solo, pues tienen mejor remuneración por su trabajo. Porque si uno de ellos cae, el otro levantará a su compañero; pero ¡ay del que cae cuando no hay otro que lo levante! Además, si dos se acuestan juntos se mantienen calientes, pero uno solo ¿cómo se calentará? Y si alguien puede prevalecer contra el que*

está solo, dos lo resistirán. Un cordel de tres hilos no se rompe fácilmente.

Eclesiastés 4:9-12

Todo es ser confiable el uno al otro.

UN CORAZÓN PARA LA RESPONSABILIDAD

Yo creo verdaderamente en el significado que yace tras el término *responsabilidad*, El término en sí no me interesa.

La responsabilidad puede tener una connotación negativa. En algunas formas, la palabra suena como la clase de sentimiento que le sobreviene a uno cuando se entera que el Servicio de Rentas Internas le va a hacer una auditoría. ¡Créanme, una de las metas de mi vida es no vincularme con el Servicio de Rentas Internas!

Una vez me pidieron que ayudase a un hombre a determinar por qué fracasó tan miserablemente cada grupo de responsabilidad masculina que él empezó. En el tiempo en que me consultó, estaba en su tercer o cuarto grupo, y estaba asustado porque el grupo empezaba a desintegrarse nuevamente. Acordamos que yo estaría presente en la siguiente reunión en el transcurso de la semana.

A mi llegada, observé cómo esta persona se hizo cargo de todo. Los hombres fueron dirigidos a sus asientos, se repartieron refrescos con precisión militar, y exactamente a la hora fijada se sentó para "dirigir" el "encuentro".

No pude creer lo que sucedió después.

Ya que poseo el don del sarcasmo, todo lo que pude hacer fue contenerme. ¡Comenzó a formular preguntas a estas personas como si fuese un fiscal del distrito en una implacable investigación para descubrir cualquier secreto en sus vidas! Pasó a través de su lista de preguntas mientras se declaraba a sí mismo relativamente libre de cualquier impureza. Luego que cada hombre fue examinado a fondo, tuvo una oración de clausura y despidió a los hombres, los que obedientemente abandonaron el lugar.

Una vez que estuvimos solos, me pidió mi opinión acerca de la reunión, la cual le di con toda libertad. ¡Tuve que decirle que casi desee ser parte de su grupo para tener el placer de irme! Traté de explicarle la diferencia entre responsabilidad y afirmación. El cuidado y el estímulo pueden realmente edificar la confianza. Es posible ser responsable dentro de un contexto positivo.

No obstante hay otros a quienes la responsabilidad puede sonarles como un maestro o entrenador que nunca está satisfecho no importa lo mucho que se haya esforzado usted. Ese hombre tampoco fue muy útil como instructor, lo cual hace aun más frustrante toda la situación. Para ese tipo no fue de ninguna manera una experiencia positiva el ser responsable.

Por otra parte, para algún otro, la responsabilidad puede ser como una espada que su jefe cuelga sobre su cabeza si usted no cumple con su trabajo. ¿Usted sabe de qué tipo de jefe estoy hablando, no? Es la clase de persona que lo llena de pedidos pero sólo controla cómo lo está haciendo a un día o dos de los plazos de vencimiento. Este tipo es un anuncio publicitario para las tensiones, úlceras y presión alta.

¿No sería lindo tener una clase diferente de jefe, el tipo de persona que se interesa por su trabajo todo el tiempo, no solamente al final? ¿La clase de persona que le tiene confianza? ¿La clase de persona que está con usted durante todo el proceso, asistiéndolo y ofreciéndole la necesaria motivación e instrucción? Bueno, hay un giro más positivo hacia la *responsabilidad*.

En mis propios tratos con hermanos cristianos, tengo una descripción que es mejor que *responsabilidad*. Me gusta usar el término *relación pactada*. Lo que más me gusta de esto es que resalta el hecho de que cada persona tiene responsabilidades en esa relación. Por ello, fomenta un sentimiento más profundo de mutualidad. Esto añade importancia a cualquier relación.

¿Cuáles son los elementos esenciales para una relación pactada?

La confianza

Yo confío en usted y usted confía en mí. ¡Yo sé que usted tiene en su mente lo mejor para mí y que mi vida y mis defectos no terminarán en los clasificados del miércoles por la tarde!

El compromiso

Usted no me abandonará cuando yo eche algo a perder. En su lugar, usted va a seguir los patrones bíblicos para ayudarme. Usted no va a perdonar los pecados de mi vida, pero su confrontación estará condimentada con gracia, amor y perdón.

La honestidad

Usted me dirá lo que necesito oír, no lo que quiero oír. Algunas veces será lo mismo, pero en otras existirá una gran diferencia entre ambas. Usted me ayudará a ver la diferencia.

En una relación pactada, todas las cosas están expuestas a la luz. Será necesario formular preguntas fuertes. Existe el deseo de llegar al corazón del problema. Hay un sentimiento de correspondencia que impone respeto. Pero el sistema está más claramente definido. Estas personas creen en mí y me apoyan, hasta el punto que la experiencia del fracaso no está mal vista.

Fracasar en una relación pactada lleva a la *restauración*.

Fracasar en una auditoría con el grupo de contabilidad del Servicio de Rentas Internas lleva a la *condenación* y *aislamiento*.

La diferencia está muy clara, ¿no es así?

UNA RELACIÓN ESPECIAL

Una vez escuché a un jugador de fútbol recordar sus años como miembro de la Liga Nacional de Fútbol. Los registros decían que esta persona era uno de los más viejos jugadores hasta antes de su retiro. Las preguntas que más frecuentemente le formularon fueron: "Por qué jugó tanto tiempo? Por qué sometió su cuerpo a los golpes, contusiones y a tan numerosas heridas como para ser mencionadas? ¿Por qué simplemente no se retiró antes como tantos de sus compañeros?" Encontré desconcertante su pensativa respuesta: "¿Por qué? Porque no puedo encontrar ningún otro lugar donde pueda estar en grupo. Los aficionados no sienten eso, los entrenadores no sienten eso, y aquellos en el banco no lo sienten tampoco.

Pero en el grupo, deja de importar su raza o religión. Usted es un equipo compuesto por hombres que creen en usted. Si comete un error, ellos corren nuevamente porque creen en ti, saben que esta vez no fallarás. Si un hombre pierde la pelota, ellos se la vuelven a dar porque creen en él. Ellos son un desafío y estímulo como no he visto en ninguna otra parte".

Ésta es la atmósfera que debería caracterizar a los grupos cristianos. La iglesia debería ser un lugar para grupos santos, en donde el equipo le ayuda a mantenerse en la carrera.

Una vez, mientras ministraba en la costa oeste de los Estados Unidos, tuve la oportunidad de visitar a un viejo amigo. Sammy vive ahora en Walnut Creek, California, un suburbio de San José. Sammy, un exitoso programador de computadoras, hizo una pregunta el segundo día de nuestra visita: —Glenn, ¿te gustaría acompañarme mañana temprano a mi grupo de responsabilidad?

—Seguro —le respondí.

—Es temprano por la mañana —bromeó, sabiendo mi rechazo por todo lo que fuese mañanero.

—¿Qué temprano es temprano? —incurrí tímidamente.

—Nos encontramos en una cafetería local a las seis de la mañana.

—Está bien —repliqué—, pero solamente porque eres un buen amigo.

A la mañana siguiente viajamos unos pocos kilómetros por la autopista hacia el lugar señalado a la hora señalada. Sammy me presentó a los otros cuatro del grupo. Frank, Andy, George y Wayne estaban estusiasmados por tenerme entre ellos.

—¿De qué se trata la reunión? —pregunté, conociendo ya la respuesta pero deseando escuchar cómo cada uno iba a responder.

—Este es nuestro sistema de apoyo de nuestras vidas —respondió George—. Hemos estado juntos por cinco años y durante este tiempo hemos sido capaces de ayudarnos mutuamente a pasar una o dos crisis.

—Sí —le hizo eco Wayne—, si no hubiese estado en este grupo, no creo que hubiese salido bien de mis cosas. Cuando hace un par de años fracasó mi matrimonio, estuve a punto de quitarme la vida. Pero estos muchachos me vigilaron, oraron conmigo, me invitaron a comer, me llevaron a la iglesia, todo lo que debe significa ser un amigo. Dios me bendijo al darme esta clase de amigos.

—Todos tenemos historias parecidas —agregó Andy—. Mi matrimonio es sólido, pero yo fui la víctima de una reducción de personal en mi trabajo. Cuando perdí mi trabajo, me sentí completamente inútil como ser humano. Estos muchachos no permitieron que pensase de esta forma. Su amor, oraciones y apoyo me acompañaron durante los tiempos difíciles. Estoy trabajando otra vez, gracias al Señor, pero nunca olvidaré el efecto que tuvieron estos muchachos en mi vida diaria.

—Estas son historias asombrosas —dije—, sintiendo otra vez el valor de sentirse responsable.

—Mi hijo de quince años se metió profundamente en las drogas —declaro Frank con sinceridad—. Nuestro grupo acababa de empezar con estas reuniones, por lo cual todos estábamos un poco reacios acerca de sincerarnos verdaderamente el uno con el otro. Los otros sonrieron ampliamente, recordando aquellos primeros días del grupo cuando mucho de su cohesión aún debía ser establecido.

—Sea como sea —continuó Frank—, decidí la noche antes que nos reuniéramos que debía decirles a ellos lo que estaba pasando con mi hijo. Era peligroso hacerlo, pero necesitaba escuchar algún consejo de una fuente objetiva.

—¿Recibió el consejo que necesitaba? —le pregunté. Frank volvió a sonreír.

—Con el tiempo, recibí algún consejo, pero lo más positivo que salió de esta reunión fue que yo tenía algunas personas que iban a escucharme sin condenarme.

—Esta crisis fue la que nos impulsó a unirnos como un grupo —dijo Sammy.

—En esos diez minutos mientras Frank explicaba su necesidad, todos los demás nos dimos cuenta que nos necesitábamos mutuamente. Desde entonces hemos sido responsables los unos con los otros. Fue exactamente lo que necesitábamos en nuestras vidas.

—¿Cuál es la estructura de vuestra reunión semanal? —pregunté.

—Leemos juntos un libro —respondió Sammy.

—Cada semana somos responsables de leer el capítulo siguiente del libro y estar preparado para discutirlo.

—¡Pero hay muchas semanas en la cuales no tocamos el libro! —añadió rápidamente George.

—¿Cómo es eso? —pregunté.

—Porque el primer punto de nuestra agenda es ir en círculo y preguntar por la vida de cada uno. ¿Cómo fue la semana pasada? ¿Cómo fueron las cosas en casa? ¿Con su esposa? ¿Con sus hijos? ¿Cómo está el trabajo? ¿Qué está pasando en su vida personal? Estas son preguntas importantes que necesitan ser contestadas. Muchas semanas alguien compartirá alguna situación difícil en su vida que nos concentrará en cómo poder ayudar en ese tiempo de necesidad.

—*Wau*, fue todo lo que pude decir.

—Y cada reunión termina con un tiempo de orar uno por el otro —continuó George—. Si alguien está pasando por un momento particularmente difícil, él es el tema de todo nuestro tiempo de oración. El libro puede esperar, porque estamos ayudando a un hermano en necesidades.

Fue un maravilloso ejemplo de la responsabilidad en acción.

En un artículo titulado "Responsabilidad que tiene sentido", aparecido en la revista *Leadership*, Gary Downing escribió apasionadamente. Resumiendo sus ideas, sugirió las siguientes ideas, como lineamentos y precauciones para proteger a las partes involucradas en una relación de esta naturaleza:

1. Dar un consejo crítico solamente si es solicitado.
2. "No somos el médico de los demás, sino más bien amigos que pueden ayudar al otro en su vida espiritual"
3. La amistad permite sinceridad y franqueza en el tratamiento de las luchas tales como el dinero, las relaciones sexuales y el poder. La antigüedad de esta relación aumenta su valor, dado que cada persona recibe una visión histórica de la vida del otro. Nadie puede ir contra el otro, y una completa franqueza y sinceridad son el resultado. La relación permanece en cuarta prioridad, después de Dios, las esposas y la vocación. El ser abierto y apoyar la relación lleva a otras relaciones y batallas.[1]

La responsabilidad es valiosa, pero involucra tomar un riesgo. Se dice que una vez una mujer perdió los ahorros de su vida al invertirlos en un falso esquema de inversión que le vendió un hábil estafador. Cuando desapareció su dinero, sus sueños se hicieron pedazos. En su desesperación, se dirigió a la Oficina de Protección al Consumidor.

—¿Por qué no nos llamó primero? —le preguntaron. La mujer inclinó la cabeza.

—¿No nos conocía? —continuó el funcionario.

—¡Por supuesto que los conocía! —le contestó sinceramente—. Hace años que sé de su organización.

—¿Entonces, por qué no se contactó con nosotros?

Su respuesta lo dijo todo:

—Tenía miedo de hablar con ustedes porque temía que me iban a decir que no. Como cristianos, podemos tener una actitud similar. Quizás comenzamos a involucrarnos en una acción de la cual ya tenemos dudas anticipadamente. O continuamos con una costumbre de la cual pensamos que podría ser cuestionable. Lo que estamos haciendo puede estar en directa violación de la Palabra de Dios. Pero rehusamos a consultar a alguien porque nuestras mentes ya lo pusieron en marcha. El resultado es pena y lamentaciones, todo porque tememos que nos digan que no.

USTED PUEDE HACERLO

Con la ayuda de su imaginación, quiero que usted piense acerca de lo que es posible cuando un hombre sigue seriamente las disciplinas espirituales. ¿Puede ver usted a un hombre cuya vida es de acuerdo al sentir de su corazón? En la profundidad de su interior, él verdaderamente quiere amar y servir a Dios. Ahora bien, a través de la suma de algunas características importantes, demuestra su amor por Dios también en su forma exterior:

- *Él ama a su Biblia*. Está comprometido a leerla, estudiarla, escuchar los sermones, memorizar pasajes importantes y hasta meditar en ella. Seguramente pierde uno que otro día, pero es mucho más perseverante que en el pasado, y puede apreciar la diferencia en su vida. *Ha aprendido el valor de la oración en una forma personal*. Puede "tomar el teléfono" y hablar con Dios cuando quiera. Está aprendiendo la importancia de orar como oraría Jesús. Ahora que esta disciplinado en su vida de oración, es más claro el discernimiento de la Palabra de Dios.

- *Posee una nueva apreciación de la alabanza.* Es más que un ritual dominguero para él. Es ahora una rica, completa y vibrante parte de su vida espiritual. Él conoce ahora el valor de la alabanza en conjunto y en privado. Y eso marcó una diferencia significante en la manera en que él se relaciona con Dios.
- *Ha descubierto una nueva disciplina en su vida, la disciplina de la soledad.* Con la ayuda de este nuevo don, ha comenzado un diario espiritual para detallar su viaje con el Señor. Hasta se ha aventurado en el campo del ayuno, para poder dedicar un tiempo más concentrado a los temas espirituales.
- *Ha hecho de la ofrenda una parte de su vida espiritual.*Como a la mayoría de las personas, la ofrenda fue siempre un tema delicado para él, por lo que ha progresado al darse cuenta que dar de su dinero es tanto una parte de su vida espiritual como leer la Biblia y orar. Por primera vez en su vida él siente que Dios le controla su libreta de cheques.
- *Quiere ser un testigo más efectivo.* El aprender a propagar su fe se ha vuelto importante para él, por ello está haciendo todo lo posible para vivir una vida que haga ver a la gente su fe. Cuando se presenta la oportunidad, también ha aprendido a tomarse el tiempo para comunicar su fe verbalmente.

¿Le resulta familiar esta persona? Bueno, si se ha tomado usted el tiempo para aplicar lo que hemos estado hablando a través de todo este libro, yo tengo buenas noticias para usted...

¡Esta persona es usted

Sí señor, es usted. No hay absolutamente nada en este libro que usted no pueda realizar. Los cristianos que han triunfado en la práctica de las disciplinas espirituales no tienen bordada una “S” en su pecho ni tienen una capa que flamea en el viento cuando vuelan por encima de altos edificios. No es cosa de superhombres; es cosa de hombres comunes.

En eso radica el estímulo. Hombres típicos como usted y yo podemos ver la diferencia en nuestras vidas cuando permitimos al Espíritu Santo ayudarnos a hacer de la disciplina espiritual una realidad.

Sin embargo, no mal entienda estas palabras, porque no estoy sugiriendo que usted intente inmediatamente todas estas disciplinas o que crea algún tipo de lista de "deberes" santos. Esto no va a resultar. Usted estará disciplinado espiritualmente por una semana, y entonces estará demasiado abrumado para hacerlo, terminando con todo el proceso.

No, yo sugiero en su lugar que usted incorpore una disciplina por vez. Cuando ella haya crecido y se haya desarrollado, incorpore una nueva. Haga que éste sea aun año crítico para su crecimiento espiritual. Descubrirá que cometerá menos errores a medida que transcurre el tiempo.

En un reciente viaje ministerial a Sudáfrica, debía predicar en un poblado negro en las afueras de Johannesburgo. El entusiasmo de los hombres al adorar era maravilloso, aun cuando no entendiese su lenguaje. Finalmente comenzaron a cantar un coro en inglés que me era conocido.

Las palabras flotaban mientras iban agregando nuevos versos. Estaban cantando:

"Sólo Él es digno...

"Luego agregaron estas palabras:

"En Él no hay fracaso..."

¡Qué recordatorio para nosotros cuando sentimos que hemos fracasado en el área de las disciplinas! El único fracaso es alejarse de ellas.

Durante mi segundo año de matrimonio, estaba cursando la universidad a tiempo completo y trabajando también un horario completo. ¡Le cuento esto para ganarme su simpatía, para así no sentirme como un completo tonto!) En medio de todo lo que estaba sucediendo en nuestras vidas, el cumpleaños de Susana pareció salir de la nada. Aunque lo había recordado en el momento preciso, era claro que su festejo, reunión y regalo no fueron planeados. Para decir lo último, Susana estaba herida y disgustada. Pero también era magnánima. No fue el fin de nuestro matrimonio sino más bien otro paso en nuestro crecimiento juntos.

Pude haber cantado:

"En ella no hay fracaso".

Ella me amó, me perdonó y me ofreció un nuevo comienzo.

Lo mismo pasa con el Señor. Muchas veces lo vemos como mirando hacia abajo a nuestro desastre, condenándonos y dejándonos solos. Sin embargo la verdad es que si entendemos su gracia y magnanimidad, no nos abatiríamos con falsa culpa, pero sí veríamos que: "En Él no hay fracaso". En su lugar encontramos amor, perdón y un nuevo comienzo.

Quizás usted ha intentado implementar las disciplinas espirituales, sólo para verlas desgastarse con el correr del tiempo. Usted se siente como un fracasado, por ello cubrió las cosas con fiestas y regalos "justo a tiempo". Dios conoce y comprende y le ofrece un nuevo comienzo, hoy. Uno de mis poemas favoritos viene a mi ayuda:

He caminado por los senderos de la vida
con andar ligero,
He ido donde la comodidad y
el placer me condujeron,
y entonces, en un tranquilo lugar,
con mi Maestro cara a cara me encontré.
Con condiciones, rango y riquezas
para llegar a la meta,
muchos pensamientos para el cuerpo
pero no para el alma,
había entrado a ganar la loca carrera de la vida,
cuando con mi Maestro cara a cara me encontré.
Había construido mis castillos,
erigiéndolos bien altos,
hasta que sus torres el azul del cielo perforaron,

con mano de hierro juré gobernar,
cuando con mi Maestro cara a cara me encontré.
Me encontré con Él, lo reconocí y me turbé al ver,
que sus ojos llenos de pena estaban fijos en mí;
y aquel día desfallecí y ante sus pies caí,
mientras mis castillos se disolvían y desvanecían.
Disueltos y desvanecidos, y en su lugar,
otra cosa no vi, que el rostro de mi Maestro,
y con fuerza grité: "Oh hazme digno de seguir,
las marcas de tus lastimados pies".
Ahora mis pensamientos son,
para las almas de los hombres,
perdí mi alma y de nuevo la encontré,
desde entonces en este santo lugar solos,
cara a cara estamos mi Maestro y yo.

Autor desconocido

Cuando el Señor mira dentro de mi corazón, yo deseo que vea el corazón de un hombre de Dios. ¿Y usted? Unámonos para hacer de ello una meta real para nuestras vidas. Manteniéndonos responsables el uno del otro, puede que ocurra pronto.

NOTAS

Capítulo 1

1. John Edward Gardner *Personal Religious Disciplines (Grand Rapids:Eerdmans, 1966),14.*

Capítulo 3

1. Richard Mayhue, *Spiritual Intimacy:Developing a Closer Relationship with God* (Wheaton. Ill.: Victor, 1990), 40.
2. R.C.Sproul, *Knowing Scripture* (Downers Grove, Ill.: InterVarsity, 1977),17.
3. Donald S Whitney, *Spiritual Disciplines for the Christian Life* (Colorado Springs: Nav-Press, 1991),38.
4. Ibid., 44,55.
5. J.I.Packer in Sproul, *Knowing Scripture, 9-10.*

Capítulo 4

1. John Edward Gardner, *Personal Religious Disciplines* (Grand Rapids: Eerdmans, 1966), 50.

Capítulo 5

1. Richard Mayhue, *Spiritual Intimacy: Developing a Closer Relationship with God (Wheaton, Ill.:Victor, 1990),75.*
2. Warren W. Wiersbe, *Real Worship* (Nashville: Oliver-Nelson, 1986),27.
3. Iibid.,21.
4. A.W.Tozer, citado en Edythe Draper, *Draper's Book of Quotations for the christian World* (Wheaton, Ill.:Tyndale, 1992), entrada 12099.
5. William Temple, citado en entrada 12124.
6. Donald S. Whitney, *Spiritual Disciplines for the christian Life* (Colorado Springs:Nav-Press, 1991),81.
7. Theodore Parker, citado en Draperr, *Draper's Book of Quotations* entrada 12109.

8. Ray Ortlund, citado en ibid., entrada 12137.
9. C.S.Lewis, citado en ibid.,entrada 12093.
10. Erwin Lutzer, citado en ibid., entrada 12101.
11. Richard Foster, citado en ibid.,entrada 12105.
12. Whitney, *Spiritual Disciplines*, 87, 89.
13. Ruth Bell Graham, citado en Draper, *Draper's Book of Quotations*, entrada 12102.

Capítulo 6

1. Ron Delbene con Herb y Mary Montgomery, *Alone with God:A Guide for Personal Retreats* (Nashville:Upper Room, 1992), 11.
2. David R. Smith, *Fasting: A Neglected Discipline* (London: Hodder y Stoughton, 1954),29.
3. William Barclay, *The Gospel According to Matthew* vol 1 rev. ed. (Philadelphia: Westminster, 1975),237-38.
4. Paul Anderson, "20 preguntas y respuestas acerca del ayuno", Christian Herald, October 1987, 30-38.

Capítulo 7

1. John Edward Gardner, *Personal Religious Disciplines* (Grand Rapids: Eerdmans, 1966),18,22,23.

Capítulo 8

1. Donald S. Whitney, *Spiritual Disciplines for the Christian Life* (Colorado Springs: Nav-Press, 11991),94.

Capítulo 10

1. Gary W. Downing, "Responsabilidad que tiene sentido", *"Accountability that makes Sense"* Leadership Primavera 1988,42-44.

GUÍA DE EJERCICIOS PARA UN CORAZÓN PARA DIOS

POR JAMES S. BELL, JR.

Jesús narró la parábola de los dos hijos a los que se les pidió que fuesen al viñedo. El primero dijo que iría pero no fue. El segundo rehusó primeramente pero después fue. Luego de leer este libro, usted puede identificarse con uno u otro. Quizás usted tenga todas las intenciones de tomar en serio estas disciplinas, pero sin algunos puntos de acción concretos sus metas se desvanecerán. O quizás usted es como el segundo hijo en el hecho que ha sido abrumado por toda la magnitud de las actividades que nos acercan más a Dios. Puede que usted diga: "Es un bonito libro y seguramente tendrá un efecto positivo, pero yo sé que no podré hacer todo lo que el autor sugiere" .

Estos ejercicios proveen el armazón a seguir para los dos tipos de hombres. En el primer caso, usted puede tener confianza y seguir hacia adelante. En el segundo caso, usted puede elegir cuáles preguntas o actividades puede manejar y entonces tener una forma específica para llevarlo a cabo en su propio nivel y paso. En el preciso momento en que yo me entusiasmé acerca de poder llevar a cabo muchas de estas sugerencias, mi amigo Glenn me recordó en el capítulo diez de no intentar todas las disciplinas a la vez. Estaría haciéndolo bien por una semana y luego me sentiría abrumado y lo abandonaría. Por lo tanto tome todas mis aparentes órdenes en estas series de preguntas como sugerencias útiles, entre usted y el Señor. Y yo espero que los discuta también con otros hombres, porque se logran mejor en grupo.

INTRODUCCIÓN

1. ¿Cómo describiría su propio concepto de un supersanto? ¿Qué características de espiritualidad podrían no ser exactas, esto es, superficiales, engañosas o no bíblicas?

2. Describa la intimidad que usted tiene con su esposa o con un amigo íntimo. ¿Cómo pudo conocer a esa persona tan profunda y completamente? ¿Cómo puede aplicarse para conocer a Cristo?

3. Si usted tendría que medir la profundidad de su amistad con Cristo de acuerdo a las descripciones del autor. ¿Dónde la colocaría usted dentro del espectro, en comienzo, en social, en estrecha o en íntima, y por qué?

4. Mire las siguientes seis cosas esenciales para la intimidad en una relación:

- La confianza
- La confrontación
- El consejo

- La compañía
- La consistencia
- El compromiso

Lejos de calificarse, ¿Cómo expresaría que el Señor ha cumplido con estos requisitos hacia usted? ¿Qué demuestra esto de su amistad?

5. Considere ahora las seis cualidades necesarias para pasar del aislamiento a la intimidad. ¿Cuál de ellas es su máxima realización? ¿Cuál le produce la mayor dificultad? ¿Por qué la gratificación está diferida en esta lista?

6. Observe la diferencia entre la experiencia del autor con la trompeta y los esfuerzos de su hija en patinaje artístico. ¿Qué dones ha desarrollado que requieren disciplina? En este ejemplo, ¿Está usted más cerca del padre o de la hija? ¿Por qué?

CAPÍTULO UNO

1. Observe nuevamente la lista de personas "ordinarias" que Dios usó de manera extraordinaria para sus propósitos. Vaya a las Escrituras y encuentre otro personaje similar a los de la lista. ¿Cuál era su debilidad y cómo lo usó Dios?

2. Ya sea la política, los deportes o cualquier otro tipo de temas, ¿cuál lo promueve usted a emitir fuertes opiniones y a un profundo compromiso? ¿Qué le permitió convertirse en un conocedor y/o un triunfador en estas áreas?

3. ¿Cómo se compara el tema del crecimiento espiritual con otras "apasionantes" áreas de su vida? ¿Qué lo desmotiva y lo debilita (lo vuelve apático) respecto a este tema? ¿Qué le produce altas y bajas? ¿Cuál es "la carnada" que más lo entusiasma?

4. Eche un breve vistazo al libro de Gálatas y vea cómo ellos tornaron el crecimiento espiritual en un conjunto de reglas en lugar de una relación espiritual basada en la gracia. ¿Cuándo y cómo tuvieron usted u otros el mismo acercamiento legalístico a la aprobación en el pasado? ¿Por qué falló?

5. ¿Cómo puede ser que podemos estar liberados del poder del pecado si seguimos pecando de tanto en tanto? ¿Qué pasó con nosotros cuando murió Cristo? ¿Qué poder está actuando ahora en nosotros? Escriba unas líneas acerca de cómo nos ayudan estas respuestas con nuestras disciplinas espirituales.

6. ¿Cómo puede estar usted libre del poder de la ley de Dios si su ley es buena? ¿Por qué nuestros propios esfuerzos solamente producen esclavitud y culpa? (Dato: las respuestas pueden encontrarse en el libro de Romanos). ¿Por qué sus esfuerzos siguen siendo una parte vital de éxito en las disciplinas espirituales?

CAPÍTULO DOS

1. La obediencia frecuentemente parece difícil y algunas veces hasta tonta. Piense en un tiempo cuando las consecuencias de la desobediencia eran acompañadas por un fuerte precio. ¿Por qué?

2. Mire ahora a las bendiciones (a veces inesperadas) por el simple hecho de obedecer a los mandamientos de Dios en su propia vida. Aun en momentos cuando las cosas no tenían sentido, ¿Cuáles eran algunos de los resultados beneficiosos?

3. No podemos crear nuestra propia integridad, más bien, es una consecuencia de ceder regularmente a los deseos y al poder de Dios. ¿Cuándo fue probado severamente su carácter moral y Dios lo apoyó a usted? ¿En qué forma cambió su compromiso con Él?

4. Cuál sería la mayor área inconsistente con la Palabra de Dios en sus pensamientos? Más que combatirlos solamente,

¿Qué pensamientos verdaderos, honorables y puros (Filipenses 4:7-8) deberían reemplazar a estos impropios?

5. Recuerde un momento en el cual uno de sus hijos (si tuvo algunos) desarrolló carácter fuerte. ¿Cómo influyó usted? ¿Qué pudo hacer (o hizo) que pudiese ser de positiva influencia para el desarrollo del carácter de los otros miembros de la familia?

6. Si estuviese hoy en su lecho de muerte, ¿De qué se lamentaría? ¿Qué palabras o hechos hubiese mejorado o anulado? Tome la decisión de hablar o actuar inmediatamente a favor de alguien, acorde con la persona que usted realmente quisiera ser.

7. Si partiese de este mundo mañana, ¿Qué sería lo que más extrañarían de usted, su familia y personas íntimamente relacionados con usted? ¿Qué extrañarían menos? Finalmente, ¿ qué cree usted que dirían acerca de su potencial para efectuar grandes cosas como una persona generosa y amante?

CAPÍTULO TRES

1. Escriba un relato imaginario del diario de su propia Biblia. ¿Qué diría considerando sus intenciones y acciones durante la última semana? ¿Cómo fueron y en que residieron? Ahora escriba la historia de su Biblia como realmente quisiera que fuese.

2. Por último, muchos de nosotros encontramos algunos de los mandamientos de Dios difíciles y hasta molestos. No obstante David se deleitaba en sus mandamientos y los estudiaba constantemente. ¿Experimentamos más su amor en sus mandamientos que el temor al fracaso o al castigo?

3. Sin la afirmación, su caminar cristiano será , entre otras cosas, incierto, desbalanceado y tibio. Haga una lista de por lo menos diez áreas (ejemplos: la salvación, la presencia de Dios) en donde usted busca la afirmación. Ahora consulte su Biblia (busque ayuda si la necesita) y encuentre las promesas que la garantizan.

4. Somos esclavos de muchas formas, las adicciones, los temores, los fracasos y así sucesivamente. No obstante, nos han prometido completa liberación de estos poderes. Encuentre unos pocos versículos que demuestran liberación de actitudes y conductas erróneas, ambas son el dominio y las consecuencias del poder del pecado.

5. ¿Alguna vez se ha sentido fastidiado discutiendo o defendiendo su fe? ¿Podría ser parte de esto el temor de ser abrumado por un escéptico en una discusión o hasta parecer ignorante cuando se llega a preguntas simples? Pregunte a otros acerca de material que le ayudará a entender mejor las verdades de la Biblia.

6. Escudriñe cuidadosamente la siguiente lista de experiencias espirituales relacionadas con interactuar con la Palabra de Dios. Subraye por lo menos un punto importante y marque para el próximo mes en su calendario un intento de dar por lo menos algunos pequeños pasos en tres disciplinas:

- Leer la Biblia
- Memorizar la Biblia
- Estudiar la Biblia
- Meditar en la Biblia
- Escuchar un sermón

CAPÍTULO CUATRO

1. La oración trae muchos beneficios y quizás uno de los más grandes es darle un propósito a la vida. ¿Cómo le hizo ver Dios claramente a usted a través de la oración su llamado y el rumbo principal de su vida en momentos cruciales? ¿Cuándo tuvieron relación sus errores de dirección con la falta de oración?

2. La oración contestada puede depender de alguna forma con su motivo. ¿En qué forma eran opuestos a la gloria de Dios algunos de sus deseos egoístas? ¿Por qué a veces sus respuestas eran dolorosas? ¿Qué está tratando de hacer Dios en algunos de los casos donde recibimos una respuesta que no nos agrada?

3. ¿Qué lo retiene de creer que Dios puede realizar grandes cosas? ¿Son las pasadas decepciones, la falta de conocimiento bíblico acerca del poder de Dios o alguna otra razón? Ore por más fe combinada con un profundo conocimiento de su Palabra y su voluntad.

4. Una gran barrera a las oraciones contestadas son los pecados sin confesar, o transgresiones individuales o hábitos continuos. ¿Existen áreas íntimas en sus pensamientos (y más allá) que usted no ha rendido a Dios y que quizás no asoció nunca a las oraciones sin contestar o a la aparente distancia de Él? ¿Si fuese así, se las daría a Él ahora? ¿Por qué o por qué no?

5. Tome las cuatro áreas principales de la oración, la fuerza, la salvación, necesidades físicas y materiales, obreros para la cosecha, e incorpórelas a su vida de oración personal el próximo mes. Sea específico de acuerdo a como Dios lo guía en esas áreas. Ahora tome una quinta área basada en versículos de las Escrituras relacionadas en algún modo con la oración.

6. ACDS es el acrónimo para las cuatro más importantes subdivisiones de la oración, ninguna de las cuales deben separarse su vida de oración. En una hoja de papel, escriba verticalmente el acrónimo en el lado izquierdo, y luego haga treinta copias. Cada día del siguiente mes, trate de escribir en la lista al menos una cosa bajo adoración, confesión, dar gracias y suplicar. Observe cómo mejorarán sus oraciones con el tiempo.

CAPÍTULO CINCO

1. Nombre el lugar, la fuente o el conjunto de circunstancias que lo mueven a adorar más profundamente. ¿Qué es lo que le permite ver claramente algunos aspectos de Dios y usted aprecia verdaderamente? ¿Cuál es su parte favorita de la adoración, que lo lleva al punto más cercano a Él?

2. El domingo no es el único momento para adorar a Dios. ¿Qué excusas pone usted por la falta de devocionales privados, participación en servicios entre semana, pequeños grupos, y otros? ¿Qué le demuestra esto a usted acerca de sus verdaderas prioridades concerniente a la adoración? ¿Cómo puede superar estas excusas?

3. ¿De qué manera bajamos a Dios a nuestro nivel, reduciendo su santidad y por lo tanto disminuyendo la verdadera adoración? Lea los relatos en Apocalipsis en donde los que están en la presencia de Dios lo adoran. ¿Qué palabras y frases usan ellos como resultado de esa santa visión?

4. Escriba su propia expresión de adoración, dándole a Dios debida expresión a su nombre, recordando sus obras y cómo se siente usted respecto a Él. Pídale que le revele a un profundo nivel de su espíritu todas sus admirables cualidades para que de esta manera usted pueda adorarle mejor.

5. ¿Cuáles fueron las experiencias de adoración más memorables que han cambiado su vida? ¿Cómo lo cambiaron internamente? ¿Por qué algunos servicios o prácticas de adoración, a pesar de usar "fórmulas" bíblicas, no parecen promover cambios en su crecimiento? ¿Cuál es el aspecto de Dios que usted más goza y reverencia?

6. ¿Existe alguna actividad "espiritual" de iglesia, de familia o personal que no incorpore mucha adoración verdadera, pero que en realidad debería hacerlo? ¿Cómo podría usted tomar medidas para acelerar la adoración en su verdadera forma? ¿Qué contribución podría hacer?

CAPÍTULO SEIS

1. ¿Qué le asusta del silencio? ¿En que forma podría usted temer estar a solas con Dios? ¿Podría ser enfrentando un juicio, por falta de una dirección, por órdenes que usted no quiere, por aburrimiento, por rechazo o por alguna otra cosa? Déselo a Dios en oración, y pida por un deseo más profundo de pasar regularmente un tiempo con Él.

2. Aun cuando sufra de alguna fobia, cada cristiano ha sido beneficiado por los tiempos pasados a solas con Dios. Haga una lista con las grandes cosas que surgieron aun de cortos momentos de un retiro , la seguridad del amor de Dios, las importantes decisiones tomadas, oraciones contestadas y demás. ¿Por qué fueron necesarias ambas cosas, el tiempo y el estar a solas?

3. Fije un lugar y un momento, con las debidas precauciones, en donde usted podrá dedicar un día entero (preferiblemente de la noche a la mañana) buscando al Señor, especialmente escuchando. Escriba una agenda que incluya la oración, la lectura de las Escrituras, la adoración, la búsqueda de sus lineamentos, y demás. Considere también las opciones de ayunar y llevar un diario.

4. Más que concertar un compromiso a largo plazo para llevar un diario, comience escribiendo al Señor todo lo que hay en su corazón solamente tres veces por semana el próximo mes. Más que un cierto número de palabras concédase un breve tiempo en el cual no se sienta abrumado.

5. Ahora, por lo menos en su primera fase, experimente con diferentes enfoques para cada una de estas semanas: lecturas espirituales, vida emocional, encuentros con Dios y otros. Al final del período, determine cuál es el más satisfactorio y por qué.

6. Entre William Barclay y Paul Anderson, el capítulo presenta doce puntos a favor del ayuno. Escriba estas doce afirmaciones en una hoja de papel y agregue una nota explicando porque está de acuerdo. Basado en esta aseveración, comprométase en el transcurso del mes que viene a la lista entera o parcial para crecer más hacia Dios.

CAPÍTULO SIETE

1. ¿ Acepta usted el hecho que todo lo que posee le pertenece a Dios, incluyendo su cuerpo? Rinda todo lo que usted está reteniendo de acuerdo a su propio discernimiento. Comprometa todo a Dios, y ore para que Él lo dirija desde el punto de vista de guiarlo con sus recursos. ¿Qué es lo que no ha rendido?

2. Recuerde los momentos cuando Dios suplió sus necesidades por encima y más allá de lo normal. ¿Cuándo fue usted verdaderamente privado de toda necesidad? ¿Usted ora primero pidiendo lo que necesita? Haga una lista de todas sus necesidades, pero comprométase primero a usarla según el orden de Dios; luego ore.

3. Desde el punto de vista de lo que usted da, clasifíquese en estas áreas, considerando su motivación, tanto como su actual ejercicio o experiencia:

- dar gracias
- sumisión a Dios
- experimentar gozo
- recibir una recompensa celestial

- apoyar la obra del evangelio
- ayudar a las necesidades de otros
- fe en la provisión de Dios

4. A la luz de éste capítulo, busque llegar a un plan sistemático de ofrenda que establezca una cantidad mínima con la cual poder contar sin hacer caso de las circunstancias personales. Establezca cuánto se extiende por encima de sus circunstancias, esto es, defina qué significa en su caso ser "generoso" y "sacrificado" y permanezca allí en fe.

5. Diezmar es difícil para muchas personas. El autor da una serie de razones de por qué es beneficioso, por ejemplo, Dios es glorificado. Encuentre el argumento más comprometedor y escriba una página del porqué tiene sentido. Téngalo en mente cuando dude o esté tentado a recortar su ofrenda.

6. Hable por lo menos con tres personas que diezman. Pregúnteles lo que sucedió a sus vidas como resultado de esta disciplina. ¿Cómo suplió Dios sus necesidades y por encima de ellas? Cómo compararían su vida actual con la que llevaban cuando no diezmaban? ¿Qué le dice esto a usted?

CAPÍTULO OCHO

1. ¿Qué cosas terrenales lo apasionan tanto como para discutirlas con otros? ¿Por qué quiere que otros cosechen los beneficios y el gozo parecidos a los que usted experimenta? ¿Qué le quita a usted su timidez aun si la otra persona pareciera no estar interesada?

2. ¿Dónde se encuentran su estilo de vida y carácter en relación a su testimonio? Aun cuando usted se ajusta a Dios, los otros querrán saber en qué forma Él lo ha cambiado. ¿Qué cambios deberá efectuar que serán de ayuda a su testimonio? Sin embargo, no use una vida imperfecta como una excusa para no dar su testimonio.

3. Elija dos personas que parezcan estar abiertos a la fe y con las cuales pueda desarrollar una estrecha relación. Basándose en su servicio y amor hacia ellos, desarrolle un plan dentro de los próximos seis meses para hablarles acerca de su fuente de vida ore por un sincero interés en ellos como personas, no solamente como almas perdidas.

4. ¿Cómo puede convertirse en una parte mejor de este mundo de sus amigos no salvos, sin comprometer su fe o caer en el pecado? Al alcanzarlo, ¿cómo mantiene usted la pureza y una vida separada? Analice las tentaciones en las cuales podrá caer más adelante si se sumerge en una profunda amistad.

5. Haga una crítica de sus pasados esfuerzos por testimoniar, y si nunca ha dado su testimonio, escriba en una hoja de papel cómo manejaría los cinco puntos siguientes:

- persistencia
- amistad inofensiva
- la guía del Espíritu Santo
- un simple y claro mensaje
- una vida dedicada a Dios

¿Dónde tiende usted a fallar o estar desbalanceado? ¿Cuál área describiría como su punto más fuerte, y por qué? Aplique esto específicamente a relaciones clave con no creyentes.

6: Mire el poema al final del capítulo. ¿En qué forma afecta su seriedad en traer almas a Cristo? Dado que nosotros no podemos salvar a nadie, si no presentamos el evangelio otros pueden perecer por toda la eternidad.Cuelgue una copia de este poema en su pared cuando usted ore por valentía para discutir el evangelio con las almas perdidas a su alrededor.

CAPÍTULO NUEVE

1. Vuelva a cada disciplina espiritual objeto de discusión en este libro: estudio bíblico, oración, retiro y ayuno, ofrenda y testimonio. Observe las siguientes consideraciones para ser capaz de hacer un trabajo a fondo en cada disciplina.

2. Aparte un tiempo real en su organizador o calendario para realizar los ejercicios mencionados en esta guía de estudios. Por último, no podrá permitirse el lujo de eliminar algunas de ellas, por lo tanto sea realista pero sacrificado cuando haga programas a largo plazo para progresar en cada disciplina. Forme un amortiguador para las interrupciones para así poder volver más tarde para reanudarlo.

3. ¿Qué requerirá cultivar la resistencia mental, emocional y física como así también la determinación necesaria para llegar a la terminación de todas estas tareas sobre una base regular? Mida su propia energía desde el punto de vista de agregar estas crecientes actividades. ¿Cómo puede cambiar otros compromisos para acomodar estos ejercicios vitales?

4. Haga un intento de obtener el material impreso necesario para un estudio posterior de los antecedentes de estas disciplinas. Trate de conseguir un lugar tranquilo, con espacio suficiente, buena iluminación, libros de referencia para estudios bíblicos, notas de referencias diarias, y quizás hasta una computadora para guardar sus notas. Haga de ello un lugar que ofrezca inspiración, creatividad y concentración.

5. Junte un grupo informal de hombres dedicados a la responsabilidad mutua que tengan mentes parecidas respecto a las disciplinas espirituales. Reúnanse una vez por mes, y definan claramente sus metas. Permítales que lo animen tanto como que lo corrijan si fuese necesario. Si usted lo hace solo, es fácil que fracase. Dése a sí mismo un "amortiguador" para los fracasos así no podrán ser una excusa para abandonarlo.

6. Antes de comenzar con estas nuevas series de disciplinas espirituales, solicite a Dios una profunda hambre y pasión tanto para conocerlo mejor como para convertirse en un hombre de Dios. Sin el fuego inicial ni la capacidad de visualizar los resultados finales, su entusiasmo se desvanecerá. Escriba una descripción del tipo de relación íntima que usted tendrá con Cristo, como también en qué tipo de persona se convertirá.

7. Vuelva atrás y repase las actividades que usted convino en empezar o expandir en los ejercicios previos. Si en general todo pareciera ahora ser algo abrumador, desarrolle un acercamiento "por etapas aceleradas". Aunque usted no está descartando el compromiso con el trayecto largo, el éxito en primer lugar, las pequeñas etapas lo animarán para seguir adelante.

CAPÍTULO DIEZ

1. Igual que el jugador de fútbol en el grupo, describa un entorno en donde usted se sienta impulsado y animado a hacer su contribución como parte de un equipo. Puede ser en la iglesia, en un pasatiempo, en los deportes y un evento social. ¿Cuál sería la dinámica de grupo que le permitiría dar lo mejor de sí? ¿Qué lograría usted?

2. ¿Cómo se aplicaría el éxito de esta dinámica de grupo mencionada anteriormente en un grupo de hombres que fomenta las disciplinas espirituales? ¿Qué elementos de estímulo y motivación mutuos se podrían transferir a un grupo como éste? ¿Podría ser "trasplantado" alguno de estos mismos individuos al grupo de hombres?

3. Un líder o al menos un moderador competente es importante para un grupo de hombres exitosos. Si no es usted, ¿podría pensar en alguien capaz de aconsejar (o en realidad conducir) un pequeño nuevo grupo de hombres? Comience a preguntar y quizás, de un modo inofensivo, comience a acercarse a él con la idea.

4. Todos nosotros tenemos algunos temores respecto a la responsabilidad mutua. El fracaso, la autoestima y otros temas entran en esto, tanto como quizás algunas heridas del pasado. Enumere esto en una forma cándida y transparente ante el Señor, y si fuese necesario, ante su futuro (o presente) pequeño grupo de hombres. Pídale a Dios que trabaje en esas áreas en la forma correcta.

5. Aparte del tema de la responsabilidad mutua, qué otras áreas de pequeños grupos como un todo pueden molestarlo? Cree dos columnas divididas en pros y contras. Detalle fracasos o temores pasados y luego detalle todo el estímulo, relaciones mejoradas y creatividad para el grupo. ¿Puede darse el lujo de hacer sus disciplinas espirituales solo?

6. ¿Estaban sus castillos erguidos o se desmoronaban cuando estuvo parado cara a cara con su Maestro. ¿Ha tratado alguna vez de realizar buenas obras sin estar en una relación de cara a cara con Él? El Señor no lo condenará y aún hay tiempo. Dígale a Dios a través de un compromiso escrito que como resultado de este libro, usted va a trabajar para convertirse en un hombre de Dios en cada área de su vida, ¡para que su primera prioridad sea el conocerlo a Él, por su gracia!